ÁLVARO CARDOSO GOMES
RAFAEL LOPES DE SOUSA

UM GRITO DE LIBERDADE

A SAGA DE ZUMBI DOS PALMARES

59ª 2017
JABUTI
LIVRO FINALISTA

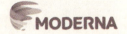

MODERNA

© ÁLVARO CARDOSO GOMES, 2016
© RAFAEL LOPES DE SOUSA, 2016

COORDENAÇÃO EDITORIAL Maristela Petrili de Almeida Leite

EDIÇÃO DE TEXTO Marília Mendes

COORDENAÇÃO DE EDIÇÃO DE ARTE Camila Fiorenza

DIAGRAMAÇÃO Michele Figueredo, Cristina Uetake

ILUSTRAÇÃO DE CAPA Diego Sanches

COORDENAÇÃO DE REVISÃO Elaine Cristina del Nero

REVISÃO Andrea Ortiz

COORDENAÇÃO DE *BUREAU* Américo Jesus

PRÉ-IMPRESSÃO Everton Luis

COORDENAÇÃO DE PRODUÇÃO INDUSTRIAL Andrea Quintas dos Santos

IMPRESSÃO E ACABAMENTO Log&Print Gráfica, Dados Variáveis e Logística S.A.

LOTE 797275

CÓDIGO 12102753

Dados Internacionais de Catalogação na Publicação (CIP)
(Câmara Brasileira do Livro, SP, Brasil)

Gomes, Álvaro Cardoso
   Um grito de liberdade : a saga de Zumbi dos
Palmares / Álvaro Cardoso Gomes, Rafael Lopes de Sousa.
– 1. ed. – São Paulo : Moderna, 2016. – (Série recontando
a história / organizador Álvaro Cardoso Gomes)

ISBN 978-85-16-10275-3

1. Brasil – História - Palmares, 1630-1695
2. Literatura infantojuvenil 3. Zumbi, m. 1695
I. Sousa, Rafael Lopes de. II. Título. III. Série.

15-11459   CDD-028.5

Índices para catálogo sistemático:
1. Zumbi: Escravo revolucionário : Brasil : Literatura infantil 028.5
2. Zumbi: Escravo revolucionário : Brasil : Literatura infantojuvenil 028.5

EDITORA MODERNA LTDA.
Rua Padre Adelino, 758 - Belenzinho
São Paulo - SP - Brasil - CEP 03303-904
Vendas e atendimento: (11)2790-1300
www.modernaliteratura.com.br
2025
Impresso no Brasil

REPRODUÇÃO PROIBIDA.
ART. 184 DO CÓDIGO PENAL E LEI 9.610
DE 19 DE FEVEREIRO DE 1998.
TODOS OS DIREITOS RESERVADOS

SUMÁRIO

Apresentação, **6**

1. O negro Francisco, **9**

2. O navio negreiro, **18**

3. O fugitivo, **23**

4. O capitão do mato, **30**

5. A caçada, **35**

6. Um encontro inesperado, **38**

7. A fazenda N. S. da Ajuda, **42**

8. A caçada continua, **49**

9. Intervenção providencial, **52**

10. O patrãozinho, **56**

11. Reflexões de um padre, **63**

12. Chegando a Palmares, **69**

13. Vemba, **78**

14. Assédio, **87**

15. Um novo capitão, **94**

16. As batalhas, **101**

17. Um encontro na mata, **106**

18. O acordo, **111**

19. Um presente especial, **117**

20. O governador e o bandeirante, **123**

21. A batalha final, **126**

22. O fim de um sonho, **132**

23. O grito, **136**

Cronologia, **140**

APRESENTAÇÃO

A ideia da série **Recontando a História** é oferecer romances históricos, gênero literário que tem como principal característica reconstruir o passado por meio de uma narrativa ficcional. Nesse tipo de romance, figuras e fatos reais convivem com personagens e eventos fictícios, construindo uma narrativa capaz de envolver e encantar a imaginação dos leitores.

O romance histórico, que tem origem remota, atingiu seu apogeu durante o Romantismo, no século XIX. Escritores como Walter Scott, na Escócia, Victor Hugo, na França, James Fenimore Cooper, nos Estados Unidos, e José de Alencar, no Brasil, notabilizaram-se pela prática do romance histórico. Contudo, não foi só no século XIX que esse tipo de obra frutificou. É possível lembrar aqui os casos de um escritor como Érico Veríssimo, com sua saga *O Tempo e o Vento*, e José Saramago, com *Memorial do Convento*, que também souberam fazer essa miscigenação entre o real e o fictício para reconstruir os eventos do passado.

A série **Recontando a História** pretende apresentar o passado de uma forma sedutora. Baseando-se em fatos históricos e, apoiado em uma sólida bibliografia, cada romance reconstrói uma época com personagens de destacada relevância para a história humana, de maneira a excitar a imaginação dos leitores. Com isto, será uma excelente ferramenta interdisciplinar, ao ser utilizada por jovens leitores e educadores.

Este volume da série — *Um grito de liberdade* —, de autoria dos professores Álvaro Cardoso Gomes e Rafael Lopes de Sousa, tem como núcleo a saga dos negros escravos no Brasil, em meados do século XVI e fins do século XVII, para tentar alcançar a liberdade, criando ou refugiando-se nos quilombos. Personagens reais e históricos como Ganga-Zumba, Zumbi, o padre Antônio de Melo, o bandeirante Domingos Jorge Velho, o governador e capitão-general da Capitania de Pernambuco Caetano de Melo e Castro convivem com personagens fictícios, como a menina Kênia, sua mãe Zaila, o tropeiro José de Moura, o guerreiro Vemba e muitos outros.

Quanto à linguagem, *Um grito de liberdade* é narrado em terceira pessoa, com a utilização do narrador onisciente, mas intercalando reflexões e pensamentos dos personagens. Com a escolha desse tipo de foco, os autores optaram por uma narrativa construída com base no português formal. Contudo, nos diálogos, dependendo da classe social dos personagens, utilizou-se o português informal ou coloquial, adequado à origem, formação e educação de cada um deles. Nesses casos, há variações de pronomes de tratamento e até mesmo o uso "incorreto", do ponto de vista do português formal, de concordância verbal e nominal, para dar maior verossimilhança às falas.

Álvaro Cardoso Gomes*
Coordenador da série **Recontando a História**

---

* Professor Titular da USP, Coordenador do Mestrado Interdisciplinar da Universidade de Santo Amaro, crítico literário e romancista. Autor de *A hora do amor, Para tão longo amor, O poeta que fingia, Memórias quase póstumas de Machado de Assis*, esses dois últimos contemplados com o prêmio Jabuti.

1. O negro Francisco

Francisco acordou sobressaltado, a cabeça ainda mergulhada no estranho sonho. E o sino que não parava de bater. Sabia que era o chamado para a missa. Padre Antônio não gostaria que ele se atrasasse.

Mas ele não estava com vontade de se levantar. O sono ainda o dominava: uma paisagem desconhecida, leões, gazelas, gritos de caça e guerra, um garoto forte e destemido armado com uma lança.

Efeito das histórias de Kokumuo? O padre Antônio vivia dizendo que não desse ouvidos ao velho escravo:

— Kokumuo fala em nome do demônio! Maiores são os poderes de Nosso Senhor Jesus Cristo.

Mas ele gostava de ouvir as histórias do velho negro. Passadas na África, o encantavam. Sobre deuses, rei, príncipes, guerreiros. Sobre um tempo em que os negros eram livres e não tinham senhor.

Toda vez que o via conversando com Kokumuo, José Bento, o feitor, o ameaçava:

— Deixa o pade Antonho sabê disso, e tu acaba no tronco[1], nego safado.

Olhava com desprezo para o homem. Grande, forte e sempre com palavras ameaçadoras. Trazia, como de hábito, o chicote enrolado e dependurado do cinturão.

Não tinha medo do feitor. Um dia, ele cresceria, ficaria tão ou mais forte do que José Bento e teria então como enfrentá-lo.

Voltava a ouvir as histórias de Kokumuo. Sobretudo depois que veio a saber que era neto de uma princesa. Aqualtune, ela se chamava. Filha de um rei muito poderoso num reino do Congo.

— Tu é neto de uma princesa, Zumbi[2]. Tu num deve de tê otro sinhô e otro deus. Tu vai tê que reiná como rei. Mas pra reiná como rei, tu tem de sê só Zumbi — dizia Kokumuo.

O jovem bocejou, já desperto de vez. Mas seria neto de uma princesa do Congo alguém que tinha o nome de Francisco? Que vinha se acostumando com esse nome? — pensou com desgosto.

Lembrou-se do padre Antônio derramando água benta em sua cabeça. Depois de lhe passar o óleo santo na testa, dizia em latim:

— *Unxi te oleo salutari, in Christo Jesu Domino nostro, ut habeam vitam aeternam*[3].

O perfume do incenso e a voz ciciada do padre que terminava o batismo com estas palavras:

---

[1] Nome dado a um instrumento de tortura e humilhação. Em termos gerais, era constituído de uma estrutura de madeira com buracos e correntes, onde os membros dos escravos eram presos.

[2] "Aquele que estava morto e reviveu", no dialeto de tribo imbagala de Angola.

[3] "Eu te unjo com o óleo da salvação em Jesus Cristo Nosso Senhor, para que possas alcançar a vida eterna."

— *Francisco, ego te baptizo in nomine Patris et Filii et Spiritus Sancti, Amen*[4].

Quanto tempo havia demorado a compreender o sentido daquelas palavras? Não muito tempo, recordava-se com orgulho. Havia aprendido rapidamente a ler e a escrever.

E, depois, vieram as aulas de latim. Nas tardes quentes de verão, sob o comando do padre Antônio, recitava as declinações e conjugava os verbos:

— *Amo, amas, amat, amamus, amatis, amant.*[5]

Tinha boa memória e guardava tudo que lhe ensinavam. Havia mesmo ouvido o padre Antônio conversar com o padre Mateus e fazer-lhe muitos elogios:

— Este pequeno ainda vai longe. É esperto, aprende com rapidez.

— Ainda ontem era um bronco. Mal sabia rabiscar o nome.

— E agora está a ler o Velho Testamento! É só lhe perguntar uma passagem, e ele a repete sem erro algum. Um prodígio!

E ele escutava o feitor José Bento comentar com despeito:

— Nego aprendeno inté latim! Onde o pade Antonho tá com a cabeça? Nego bom é na prantação cortano cana!

Era comum o padre Melo exibir o talento do jovem para as autoridades que chegavam a

[4] "Francisco, eu te batizo em nome do Pai, do Filho e do Espírito Santo, Amém."

[5] O latim é uma língua flexiva, ou seja, as palavras (substantivos, adjetivos) são modificadas no final para indicar casos de gênero, número. É o que se entende por declinações. Já nas conjugações, como em português, as mudanças dos verbos indicam as pessoas do discurso, como no caso do verbo amar.

Porto Calvo[6]. Quando o governador-geral veio visitar a vila, fez questão de que ele ouvisse Francisco ler passagens do "Velho Testamento".

O jovem leu o texto, cometendo apenas um ou outro erro. Admirado, o governador bateu palmas e disse:

— Muito me surpreende isto, padre Melo! Como Vossa Reverendíssima conseguiu este milagre de trazer a luz do conhecimento para um ser bruto e inferior como um escravo?

Cheio de orgulho, o padre respondeu:

— Com persistência e com a ajuda da Graça de Deus, Excelência!

"Ser bruto e inferior" — pensou o jovem, com mágoa. Pois não dizia o Livro que todos eram filhos de Deus Pai? E Deus Pai consideraria um filho seu como um "bruto e ignorante"?

O governador se foi, o padre Antônio chamou o jovem de parte e disse:

— Meus parabéns, Francisco! Impressionaste e bem ao governador. Se continuares assim a estudar com afinco, um dia, ficarás incumbido de ensinar a outros negros a palavra de Deus.

Fixou os olhos no jovem. E completou com certa rispidez, estranha nele, que era tão cortês:

— Mas, para isso, não basta estudares. Tens que renegar de vez a todas as crenças diabólicas! Tens de fechares os ouvidos à voz do demônio!

[6] Situado no atual estado de Alagoas, foi um dos primeiros locais, no século XVI, a ser habitado pelos portugueses. Sua fundação é atribuída a Cristóvão Lins, a quem foram doadas terras que se estendiam do rio Manguaba ao Cabo de Santo Agostinho. Porto Calvo tornou-se notável pela parte que tomou na guerra com os holandeses, serviu de base para as forças expedicionárias e de entreposto comercial durante o período da destruição do Quilombo dos Palmares.

— Sim, senhor — murmurava de cabeça baixa.

— Kokumuo! Não quero ver-te de conversas com Kokumuo! Aquele homem fez pacto com o demônio.

Kokumuo gostava de falar com orgulho dos deuses da noite:

— Olorum é criadô de tudo. O Sinhô do Céu. Tem mais pudê que Jesuis.

— Mas como ele deixou os brancos escravizarem os negros?

O velho chupava o cachimbo, refletia por um bom tempo e depois dizia, meneando a cabeça:

— Pruque os nego vevia brigano cos nego. Mais quando os nego tivé tudo junto, os negos vai vencê. Antão, tu vai sê rei dos nego.

Mas lá estava Francisco e não Zumbi, ao lado do padre Antônio, celebrando a missa matinal. Balançava distraído o turíbulo[7]. Gostava do perfume daquela erva aromática.

Depois, ainda vinha a comunhão, quando recebia o corpo de Cristo. Então, segundo o padre Antônio, estaria puro, livre de todo pecado.

— Não dês ouvidos à voz do demônio — tinha lhe repetido o padre ao confessionário, no dia anterior.

A voz do demônio. Kokumuo.

— *Ego te absolvo, in nomine Patris et Filii et Spiritus Sancti, amen.*[8]

[7] Instrumento feito de metal em que se queima incenso, utilizado em cerimônias religiosas.

[8] "Eu te absolvo, em nome do Pai, do Filho e do Espírito Santo, amém", palavras ditas, pelo confessor, na Igreja Católica, para absolver o fiel dos pecados.

E em sua memória estavam fixas imagens dolorosas de quando era bem pequeno. Lembrava-se do cheiro acre da fumaça, ouvia ainda os gritos dos moribundos. E ele chorava em desespero numa palhoça em Palmares. Sua mãe jazia morta a seu lado. Com terror, viu um homem, a cara feroz manchada de sangue, com uma espada na mão, que o fitava da entrada da palhoça.

— Tem um negrim aqui — gritou o homem para trás. — O que faço com ele?

— Pega ele, Gonçalo. Temo orde de levá todas as muié, as criança e os home bom.

Uma mão brutal o agarrava e o puxava para fora da palhoça, que já começava a arder. Via o horror dos muitos corpos mutilados, o mocambo[9] de Palmares em chamas, ouvia o choro de mulheres e de crianças.

Presos pelos libambos[10], os negros seguiam numa coluna, cercados por homens armados. A fome e a sede, a longa caminhada pela floresta. O medo das chibatadas, das pancadas na cabeça. Os fracos e feridos abandonados à própria sorte.

— As onça vai tê bom proveito — dizia Gonçalo, dando uma gargalhada.

Chegando a Porto Calvo, foi feita a triagem. Senhores de engenho disputaram os homens e as mulheres mais fortes. Para sua sorte, apesar de

[9] O mesmo que pequena vila. Palmares, na realidade, era formado por vários mocambos.

[10] Cordas, correntes ou pedaços de madeira que serviam para prender os negros pelo pescoço.

raquítico e pequeno, havia caído nas graças do padre Antônio Melo. Ao vê-lo em meio aos prisioneiros, ele o havia requisitado. Dizia precisar de um auxiliar para as tarefas na capela.

Depois disso, o submeteu ao batismo, dando-lhe o nome de Francisco:

— D'ora em diante, não mais serás Zumbi, serás Francisco. Como o nobre santo Francisco de Assis, que se dedicou aos mais pobres e amou todas as criaturas, chamando-as de irmãos.

Mas, além da missa, ele gostava da cumbuca de leite, acompanhada de um pedaço de pão preto que lhe davam. Para isso, tinha que esquecer os antigos deuses. E Kokumuo. Ai se o padre Antônio o visse de conversa com o velho negro. Até tinha escutado o feitor Bento dizer:

— Pade Antonho, esse nego safado fica falano bobage pros nego. E, dispois, tem as mandingas[11]. Otro dia, falei que ia batê nele. O nego me disse umas coisa muto feia.

E completou, assustado:

— Acho que era mardição.

— Maldição?! Ora, Bento, não me venhas com essa! Maiores são os poderes de Nosso Senhor Jesus Cristo.

— Perdão, Vossa Reverendíssima — teimava o feitor. — Mais des que Kokumuo me disse aquelas palavra, tô sentino umas coisa ruim.

[11] O mesmo que feitiço, bruxaria.

— O que sentes, homem de Deus? — dizia o padre Antônio.

— Uma gastura cá por drento — respondia o feitor, passando a mão sobre o ventre.

— Ora — dizia o padre abanando a mão —, não é mais que uma indisposição por teres comido algum alimento indigesto. Toma um chá de erva-cidreira ou uma fusão de losna e estarás curado.

E não é que, para surpresa do jovem, o feitor Bento tinha caído de cama? Para não mais se levantar. Pouco depois se finava ele com muitas dores e vomitando sangue. Poderes de Kokumuo? — refletia assustado. De que tinham adiantado as preces, as bênçãos do Padre Antônio? Nada. O maldito homem tinha morrido. Graças à força dos deuses da noite.

Eram mesmo maiores os poderes daquele que tinha morrido na cruz que os deuses da noite? — depois disso, ele vinha se perguntando.

E suas dúvidas cresciam quando ouvia histórias sobre os escravos que fugiam para a Serra da Barriga em busca de liberdade. Ficava sabendo que Palmares tinha sido reconstruído e vinha crescendo a olhos vistos. Falava-se mesmo que havia mais de vinte mil almas por lá. O maior temor dos brancos — segundo se dizia — eram os ataques dos quilombolas contra as fazendas no sertão. Eles pilhavam tudo e matavam os proprietários.

Ouvia também falar de seu tio, Ganga-Zumba, o grande líder de Palmares. O filho mais velho da princesa Aqualtune. O nome dele era pronunciado com ódio e temor pelos brancos:

— Um bandido! — dizia o novo feitor, o Mourinho. — Já tá chegano a hora de acabá cum esse nego mardito!

Já os escravos o reverenciavam:

— Ganga-Zumba é nosso rei! Ele vai libertá nosso povo!

Como seria ele? — se perguntava, com uma ponta de orgulho. Mas logo mudava seu pensamento. Que orgulho podia ter se era apenas um Francisco, vivendo entre brancos e se comportando como um branco? — dizia para si mesmo com amargura.

Era bem verdade que nunca tinha sido preso no tronco ou recebido chibatadas. Padre Antônio tratava-o bem. Quando muito, às vezes, levava uns cascudos do sacerdote. Ora porque não decorava uma passagem da Bíblia. Ora porque errava alguma coisa no cerimonial da missa. Se acertasse tudo, tinha como prêmio mais um pedaço de pão preto.

Por isso mesmo, sentia-se como um cão amestrado. Ainda mais depois que Kokumuo lhe disse:

— Tu é neto duma princesa. Tu num tem de sê Francisco. Tu tem de sê Zumbi. E tu tem de deixá de sê cão!

Repetia para si mesmo: não sou o cão Francisco, sou Zumbi, neto de uma princesa. E assim, pouco a pouco, começou a alimentar a ideia de fugir de Porto Calvo. Mas tinha temor de fazer isso. Sabia que os negros que fugiam eram caçados pelos bandeirantes, auxiliados por cães ferozes.

Os fugitivos eram trazidos de volta para Porto Calvo, presos ao tronco e chicoteados. Alguns, por resistirem muito, morriam na caçada e outros, devido aos castigos severos.

E, agora, começava a incomodá-lo cada vez mais ter que adorar um falso deus. E, assim, mais e mais, aspirava pela liberdade. Durante as noites, sonhava-se em Palmares. E lutando lado a lado com seu tio Ganga-Zumba.

2. O navio negreiro

Entre os portugueses, o tráfico de escravos começou provavelmente em 1432, com o navegador Gil Eanes. A ideia era fornecer mão de obra para as plantações de açúcar em Madeira e Cabo Verde.

Depois, organizaram-se muitas outras companhias para trazer escravos da África. No caso brasileiro, havia a Companhia Geral de Comércio do Brasil (1649).

Os navios negreiros, chamados de "tumbeiros"[12], costumavam ser grandes barcos em que o espaço era aproveitado ao máximo. Os traficantes dividiam o porão em três patamares, com altura de menos de meio metro cada um.

Amontoados como gado, os negros eram presos por correntes que limitavam seus movimentos. Não havia higiene a bordo. As fezes e a urina eram feitas no mesmo local onde dormiam.

[12] A palavra vem de "tumba", ou seja, "túmulo", porque nesses navios aconteciam muitas mortes.

O movimento das naus fazia com que muitos enjoassem e vomitassem no local. Por isso, o ar tornava-se irrespirável. Os ratos se multiplicavam. Não era raro que doenças como a sarna, a varíola, o escorbuto proliferassem, matando grande parte dos negros.

O alimento — farinha de mandioca, carne-seca — era jogado nos compartimentos uma ou duas vezes por dia. Cabia aos próprios negros promover a divisão da comida.

Quando o navio enfrentava alguma tempestade, o comandante ordenava que os negros doentes e moribundos fossem lançados ao mar para reduzir o peso.

Apenas no século XIX o tráfico de escravos foi proibido. Entre 1806 e 1807, a Inglaterra acabou com o tráfico negreiro em seu Império e em 1833 proibiu o trabalho escravo.

Em 1850, a lei Eusébio de Queirós extinguiu o comércio internacional de escravos para o Brasil. Embora desde 1831 o tráfico negreiro estivesse proibido, somente depois de quase 20 anos de conflito essa determinação legal foi acatada. Ainda assim, a escravidão permaneceu até 1888.

* * *

Era a bordo de uma dessas embarcações que se encontravam Kênia e sua mãe, Zaila[13]. Haviam sido embarcadas em Luanda, que ficava no antigo reino de Ngola-Ndongo[14].

[13] Kênia significa "inocente", "pequena rainha", e Zaila, "a feminina".

[14] Ficava a sul/sudeste do Reino do Congo, no nordeste da Angola atual, mas com o seu centro no sul da atual República Democrática do Congo, na África.

A pequena família, formada por Olu e as duas mulheres, havia sido capturada em Matingana, no interior de Ngola-Ndongo. Negros de uma tribo rival tinham arrasado a povoação, queimando as cubatas e matando os guerreiros que haviam resistido.

Os sobreviventes foram aprisionados e levados para Luanda e vendidos aos traficantes brancos da Companhia Geral do Comércio. Estes, por sua vez, os embarcaram para revendê-los aos donos das plantações de cana--de-açúcar, no Brasil.

Quando elas entraram no navio negreiro, o pai ainda as acompanhava. Mas Olu já estava muito enfraquecido. Isto porque havia apanhado bastante quando lutou contra os inimigos para proteger a família.

Depois, a longa caminhada com o libambo às costas o tinha reduzido a um trapo. Zaila, com lágrimas nos olhos, contemplava o seu homem. Enfraquecido ao extremo, ele não conseguia sequer se levantar do chão encardido.

A cabeça pousada em seu colo, um pouco antes de morrer, Olu havia pedido a ela que fizesse de tudo para proteger Kênia.

— Num fica ansim, não, Olu — dizia Zaila, aflita com o estado do marido. — Quando nóis chegá na nova terra, nóis...

Em desespero, Zaila chorava em silêncio. Nem água suficiente podia dar a ele. O pouco que tinham era para Kênia.

Quando o barco partiu, deixando para trás a África, Olu morreu. Abraçadas ao cadáver, mãe e filha choraram muito. O que seria do marido, que não teria um funeral decente? Como seria recebido pelos deuses?

Como respondendo as essas perguntas, um homem balançou a cabeça e disse com crueza:

— Vai servi de comida pros peixes...

Com efeito, no dia seguinte, não viram mais Olu.

— Eu quero o papai! Eu quero o papai! — gemia Kênia.

— Drome, minha querida, drome. Papai tá num lugá mió — dizia Zaila, afagando a cabeça da filha.

E foram dias e dias de intenso sofrimento. O espaço era mínimo e todos se espremiam no compartimento abafado. Não bastassem o desconforto, a fome e a sede, ainda foram apanhados por uma tempestade que quase levou o navio a pique. Corpos dos moribundos, apesar das súplicas dos parentes, foram atirados ao mar.

Molhados até os ossos, os negros alternavam dias de muito calor e noites de frio. Zaila apertava contra si o corpo de Kênia. A menina havia sido tomada por uma febre altíssima e delirava, os lábios gretados e dizendo coisas incongruentes:

— Papai... fome... mamãe.

Zaila lhe dava o pouco da água que recebia. Procurava aquecê-la, friccionando seu corpo. Até que pensou que a menina fosse morrer. Se isso acontecesse — refletiu com sofrimento —, se atiraria ao mar junto com o cadáver da filha.

Antes isso do que enfrentar outra perda como aquela. Já não bastava a morte de Olu, a quem amava de todo coração?

Para sua alegria, a menina reagiu. Talvez por influência de Obá[15], a quem Zaila havia orado e pedido por clemência. Magra, os olhos fundos, mal comia. Mas estava viva! E, se dependesse dela, continuaria viva até chegarem à nova terra.

[15] Deusa do casamento e da domesticidade, esposa banida de Xangô e filha de Iemanjá.

O ar no navio tornava-se, a cada dia que passava, mais e mais irrespirável. Um cheiro horrível de corpos suados, de fezes, de urina e de comida apodrecida empesteava tudo. E as mortes continuavam a acontecer. E os cadáveres continuavam a ser atirados ao mar.

Só a esperança de levar Kênia com vida à nova terra fazia que Zaila tirasse forças não sabia de onde. Ah, se Olu estivesse vivo... Ainda podia ter o amparo dele. Com certeza, não permitiria que roubassem o pouco de alimento que a mulher e a filha recebiam.

Quando surgiram no horizonte montes verdes e a areia branca, ela respirou um pouco mais aliviada. Fraquinha, pele e ossos, Kênia passava quase o tempo todo agarrada à mãe. Mas ainda estava viva. Logo, logo, recuperaria as forças — Zaila pensava, esperançosa.

Quando o barco aportou, os donos das plantações já aguardavam, impacientes, o gado humano. Todos queriam os mais sãos, aqueles que, mesmo enfraquecidos pela longa viagem, ainda prometiam uma rápida recuperação.

Os negros, saindo dos porões e empurrados em direção à terra, começaram paradoxalmente a sorrir. Pelo menos, respiravam ar fresco, e o forte sol vinha lhes insuflar um novo alento.

Foi o que Zaila e Kênia de certo modo sentiram. Apesar de enfraquecidas, estavam vivas. E livres daquele túmulo imundo que era o "tumbeiro".

3. O fugitivo

O jovem acordou sobressaltado, o corpo coberto de suor. Fazia muito calor, e um bafo morno invadia o pequeno cômodo em que dormia. Parecia-lhe ouvir as vozes dos deuses da noite:

— *Vem conosco. Deves renunciar aos falsos deuses. Deves renunciar a teu destino de cão...*

Levantava o corpo molhado, apurava os ouvidos. Mas só ouvia o cricrilar dos grilos, o coaxar sombrio dos sapos, o pio de uma coruja, o ruído do vento na copa das árvores. Onde os deuses da noite estariam?

Respirava fundo ao se lembrar deles. Não mais podia continuar vivendo como um cão. Não podia continuar como Francisco.

Mas, para tornar a ser Zumbi, tinha que renunciar à vida de cão.

Tornava a deitar. O que fazer? Para tanto — refletia assustado —, teria que abandonar os pequenos confortos e enfrentar o desconhecido. Lembrava-se com prazer do pão preto, do mingau de milho servidos todas as manhãs.

E, a bem da verdade, tinha de reconhecer que não o tratavam mal. Fora os cascudos do padre Antônio, nunca havia sido chicoteado como os demais escravos. Aos olhos dos outros negros, ele parecia um homem livre.

E, continuando a viver ali em Porto Calvo, talvez tivesse um bom futuro. Se estudasse com afinco, um dia, poderia se tornar o preceptor dos outros negros. Promessa do padre Antônio.

Já se imaginava ensinando as primeiras letras a seus companheiros de escravidão. Ou, para espanto deles, interpretando passagens do Velho Testamento. Um destino muito grande para quem era apenas um negro. Ou como tinha dito o governador, um bronco, um ser inferior.

Mas isso não modificaria a sua condição de negro. E negro, na cabeça dos brancos, só existia para servir. Como o finado feitor Bento gostava de lembrar:

— Lugá de nego é na prantação, no tronco!

Mas o que preferia? Ter uma vida longa e confortável e ser tratado como um bronco ou viver sempre em risco, mas com a liberdade de uma fera? Ser um negro se fazendo de branco ou um negro que fosse negro de verdade?

Kokumuo tinha razão. Quem tinha a vida de um cão nunca seria livre.

Este último pensamento o fez decidir-se de vez. Na verdade, já há um bom tempo, vinha planejando fugir.

Tinha que partir sem mais hesitação. Levantou-se. Procurando não fazer ruído, atravessou os fundos da capela. Como sabia que sua jornada seria longa, saiu à procura de mantimentos. Na despensa, pegou dois pães grandes, um naco de carne-seca, que pôs dentro do embornal. Encheu uma moringa de boca estreita com água e apoderou-se de um facão de folha larga.

Ouvindo um ruído, estremeceu. Parou, todo trêmulo. Mas era apenas o padre Antônio roncando. Deu um suspiro de alívio. Se fosse apanhado àquela hora roubando comida...

Saiu para a noite. Ai dele se encontrasse com um branco. O embornal com os alimentos denunciaria a sua fuga. Nem o padre Antônio o perdoaria. Seria preso ao tronco e chicoteado.

Tinha uma vaga ideia de qual direção tomar. Sabia que a Serra da Barriga[16], onde se localizava Palmares, ficava mais ao sul de Porto Calvo. Sabia também que a distância que teria que percorrer era enorme. Uma questão de vários dias andando por um local desconhecido.

Mas, antes de tudo, tinha que pensar em fugir da povoação. A noite estava escura como breu. Isso o ajudaria a escapar dos guardas, antes de se internar na floresta.

Não tinha medo das feras. Mais temia os homens que o caçariam como um animal selvagem. Antes de começar a andar, refletiu que podia seguir pela trilha que o levaria até o rio. Chegando lá, não mais o pegariam.

O mais difícil seria quando tivesse que se embrenhar na floresta. Mas tinha ouvido falar que, atravessada a mata, encontraria outras trilhas feitas pelos escravos libertos de Palmares. Era

---

[16] Localizada no atual município de União dos Palmares, no estado de Alagoas. À época do Quilombo dos Palmares, fazia parte da capitania de Pernambuco.

por elas que eles negociavam os bens que produziam: feijão, milho, mandioca.

Mas, seguindo por essas trilhas, teria que percorrer muitos e muitos quilômetros antes de chegar aos contrafortes da Serra da Barriga.

Hesitou um pouco. Será que conseguiria percorrer tamanha distância? E sem a certeza de chegar a Palmares com vida? Nos fundos da capela, o aguardava sua cama de palha. Podia dormir e acordar para as lições do padre Antônio. E depois saborear o mingau de milho e o pedaço de pão preto.

— E a ser tratado como um bronco, como um cão... — murmurou com rancor.

Não, não podia desistir. Era chegada a hora de estar com seus iguais. Nada mais o faria recuar. Nem mesmo o medo do desconhecido.

Decidido, recomeçou a andar. No limite do povoado, viu uma fogueira. Na certa, dos homens da guarda. Agachou-se e pôs-se a deslocar lentamente e sem fazer ruído. Ouviu um dos homens dizer:

— Quantos nego foi recapturado antes de onte?

— Treis, mais um morreu na caçada.

— Esses nego num aprende memo. Tão achano que vamo deixá eles fugi.

— O diabo é esse quilombo de Palmares. Vem cresceno, cresceno. E aí tem mais e mais nego tentano fugi. Tinha que acabá com esse quilombo!

Passou pelos homens, que continuavam a conversar. Mais um pouco, e ele pôde erguer-se. Quando percebeu que estava na trilha, começou a correr.

Meia hora depois, cruzava o rio, erguendo ao alto as roupas e o alimento. No outro lado, deu com a floresta. Agora, ele sabia que vinha a parte mais difícil. Embrenhar-se na mata e, mais adiante, fazer a longuíssima caminhada por dias e dias.

Teria forças para isso? — pensava, aflito. Não, não podia fraquejar. Devia ter confiança em si. Era magro, porém resistente. Com muito esforço, havia de conseguir o que tanto sonhava. Deixaria de ser um escravo para tornar a viver com seu povo.

Sem mais hesitações, entrou na mata. Com o facão, ia cortando os cipós, os galhos de árvore. Mesmo assim, teve o corpo rasgado pelos espinhos.

Depois de algumas horas de intensa caminhada, começou a se sentir impaciente, nervoso. Sabia, pelos clarões no céu, que o dia se aproximava. Logo dariam por sua falta.

E logo também poriam homens e cães ferozes e de faro infalível a caçá-lo. Os homens, guiados por um experiente capitão do mato[17], conheciam atalhos que encurtavam as distâncias.

E viriam armados com espadas e bacamartes[18]. Quanto a ele, tinha apenas o facão que havia pegado na despensa. O que podia um facão contra armas de fogo? — pensava, assustado.

Ainda por cima, ele não conhecia os caminhos que levavam a Palmares. Só tinha a vantagem das noites e das horas de dianteira. Mas, se fraquejasse, seria alcançado. E, se fosse alcançado, perderia o pouco de liberdade que ainda lhe haviam concedido.

Seria mais um negro preso ao tronco, com o corpo todo lanhado de chicotadas. E sem as regalias

[17] Feitor de escravos que tinha a função também de buscar escravos fugidos.

[18] Armas antigas de carregar pela boca larga.

que padre Antônio lhe dava. Como a de comer uma comida um pouco melhor e a de não fazer trabalho pesado.

Pôs-se então a andar mais depressa. Tropeçando num tronco, torceu o tornozelo. Não pôde reprimir um gemido. Ergueu-se com dificuldade e forçou o pé contra o solo. Deu outro gemido. Tentou andar, mas só podia fazer isso mancando. E, mancando daquele jeito, não iria longe — pensou, em desespero.

Parou um pouco para descansar. Seu corpo estava exaurido. Se pudesse dormir um pouco... Não, não podia dormir. O dia vinha chegando. E com ele, os cães de caçar negro.

Improvisou uma bengala com um galho e continuou a andar.

Quando o sol apareceu, ele já se encontrava no limiar da mata. Continuou a andar mais um pouco e saiu de entre as árvores. Agora, só havia vegetação rasteira e pedras. Escalou com muita dificuldade um rochedo. E bem abaixo pôde ver Porto Calvo.

Desceu do rochedo, sentou-se e examinou o tornozelo. Estava inchado, roxo. Ainda doía muito. Desalentado, contemplou a serra ao longe. Teria muito que andar. Dias e dias — calculou. E como andar com o tornozelo daquele jeito?

Sentindo fome, mastigou um pedaço de pão com carne-seca.

Restauradas as forças, continuou a caminhar. Bem devagar, apoiado na bengala improvisada. Passo a passo, foi se arrastando.

E foi depois de algumas horas de árdua caminhada que lhe pareceu ouvir o latido de um cão. Já tão cedo?! — se perguntou, assustado. Olhou para o céu e viu que o sol tinha atingido o seu zênite. Devido à entorse do tornozelo, havia se atrasado mais do que pensava.

Quanto aos perseguidores, vinham descansados, cortando caminhos, com comida, água de sobra. E o maldito cão servindo de guia! E ele que não tinha como se apressar!

Até que chegou a um riacho. Ouvia mais nitidamente os latidos. Não demoraria muito, e seus perseguidores o alcançariam. Refletiu um pouco: como o cão o havia localizado? Na certa, os brancos haviam lhe dado uma peça de roupa para cheirar.

Teve uma súbita inspiração. Despiu-se, tirando os calções e a blusa. Desceu ao longo do riacho e foi esconder as peças de roupa na reentrância de um rochedo. Depois, entrou nu nas águas e começou a subir em direção da nascente.

Quando chegou a uma pequena queda-d'água, que logo escalou, pôde ver o que se passava logo abaixo. Notou, para sua satisfação, que o grupo, formado por uns seis homens, todos armados, havia sido guiado por um cão até onde tinha escondido as roupas.

Pouco depois, eles se aglomeravam junto ao rochedo. Pareciam desorientados, olhando para um lado e para o outro, não sabendo que direção tomar.

O cão ameaçava subir o riacho. Balançava o rabo, dava uma corrida, mas, não demorava muito, sentava-se com a língua de fora. Os homens gritavam, dando-lhe voz de comando. Sem saber o que fazer, o cão acabou se deitando e enfiando a cabeçorra entre as patas.

Escondido atrás de um maciço de árvores, ele não pôde deixar de rir, satisfeito com sua artimanha.

Lembrou-se então de Kokumuo, que costumava dizer:

— Os branco nada pode contra a malícia dos nego...

4. O capitão do mato

Um mameluco[19] saiu da mata, na província de Paraíba, e se dirigiu para uma clareira. Lá descansava um homem corpulento e barbado, a cabeça apoiada num tronco de árvore.

— Com vossa licença, Sô Capitão Domingo... — disse o mameluco com cautela, porque viu que seu interlocutor estava adormecido.

O homem barbado abriu os olhos. Pareceu contrafeito, talvez porque o vinham tirar de um mais que merecido repouso.

— O que foi? — perguntou de maus modos.

— Vim pra falá que acabemo de botá fogo nas maloca.

— E o cacique Yurupema?

— Peguemo ele quereno fugi na floresta. Nóis matemo ele tamém?

[19] O termo designa um indivíduo que possui ascendência indígena e branca — mestiço ou filho de branco com índio.

O homem barbado, que se chamava Domingos Jorge Velho, refletiu um pouco. Levantou-se bem devagar e disse, se espreguiçando:

— Não, Marcelino, pode trazê ele aqui pra mim.

— Às orde, Sô Capitão — disse Marcelino, retirando-se.

Domingos Jorge Velho continuou refletindo. Pensava em que castigo dar ao cacique dos índios cariris, contra quem vinha mantendo uma guerra acirrada. Há muito que lhes queria dar uma lição. Sobretudo depois que os cariris haviam destruído a vila de Piancó, que havia fundado na Paraíba.

E com esse ataque, tinham incendiado as casas, a capela e massacrado grande parte da população. Mas agora, no ano de 1678, tinha liquidado de vez com o problema dos índios. Acabava de derrotar o mais temível dos chefes, o cacique Yurupema. Ele sorriu satisfeito. Sua missão para acabar com a rebelião indígena na região estava quase chegando ao fim.

Domingos Jorge Velho era tetraneto de índios tupiniquins e tapuias. Havia nascido em Santana do Parnaíba, capitania de São Vicente, em 1641. Fazia parte de um grupo seleto de bandeirantes, contratados pelos governos das capitanias e donos de engenho, que se sentiam ameaçados por índios ou negros fugidos. Havia se salientado tanto nessas caçadas que, por sua crueldade, ganhou o apelido de "Filho do Diabo", do qual muito se orgulhava.

Pelos grandes serviços prestados ao governo, acabou ganhando a patente de Mestre de Campo.

Mesmo com tudo isso, ele não vivia satisfeito. Era reconhecido e respeitado pelas autoridades e senhores do engenho. Mas, em suas costas, escarneciam de suas origens e até mesmo o insultavam.

Mas, depois que sua fama se espalhou, eram raros os insultos dirigidos a ele. Apesar disso, tinha plena consciência de que o desprezavam por suas origens. Ainda que precisassem dele.

De qualquer modo, havia encontrado um jeito de superar a frustração de saber que tinha sangue indígena. Com seu trabalho de capitão do mato, havia ganhado muito dinheiro. Além disso, conseguiu licença das autoridades para tomar a terra dos índios e transformá-las em fazendas de sua propriedade.

Caçava tanto os indígenas quanto os negros. Não gostava também dos negros, mas dos índios tinha verdadeira repulsa. Matando os índios era como se apagasse o passado. Toda vez que partia para uma expedição punitiva contra os indígenas, fazia questão de destruir tudo. Matava os homens, as crianças, deixava seus auxiliares estuprarem as índias, queimava as malocas, as plantações.

Era o que estava fazendo naquele momento com os cariris, que o vinham incomodando além da conta. Eram guerreiros ferozes, não o temiam. Foi preciso que usasse de toda sua força e astúcia para derrotá-los.

Até que, no sertão da Paraíba, os havia cercado em seu último reduto. Os cariris tinham se reduzido a alguns poucos guerreiros, enfraquecidos pela fome e pela doença. E agora tinha o cacique Yurupema à sua mercê. Mas não queria só matá-lo, queria vê-lo submisso como um animal.

Quando o cacique foi trazido à sua presença, reparou que ele estava muito ferido. Vinha apoiado por dois bandeirantes, que o jogaram no chão:

— Pronto, taí o home, Sô Capitão — disse o Marcelino com desprezo.

— Pode ponhá ele de pé.

Sem muito esforço, ergueram o velho cacique. Tinha o corpo todo pintado de vermelho e, ao pescoço, levava um colar de contas e presas de onça. Domingos Jorge Velho adiantou a mão e lhe arrancou o adereço, que sabia ser sinal de seu poder.

— Pra onde tu tá ino num percisa disso — disse com desprezo, num misto de português com cariri.

Yurupema abriu a boca toda gretada, sangrenta e sem dentes e disse:

— O Grande Tupã tá me esperano. Vô pra junto dele.

— Pra junto de Tupã? — escarneceu o capitão do mato. — Tu tá ino é pra queimá no inferno. É mió tu arrenegá tua fé de pagão e querditá em Jesuis Cristo.

— Tupã... — teimou o índio, não conseguindo completar a frase.

Irritado, Domingos Jorge Velho gritou a seus comandados:

— Faiz ele se ajueiá.

Os homens não tiveram muito trabalho para fazer isso, já que o cacique mal podia se ter em pé.

— Pega uma cruis e dá pra ele beijá!

Mas não houve jeito que fizesse Yurupema obedecer. Continuava com a boca fechada e murmurando "Tupã".

— Qué morrê pagão, né? Vai tê uma lição! Apois amarra ele naquela arvre.

O capitão do mato fez questão de chicotear o cacique. Bateu tanto que ficou com o braço dolorido. Mesmo assim, não conseguiu que o cariri beijasse a cruz.

— Azá dele, vai morrê pagão. Satanais vai fazê a festa no inferno pra recebê ele — disse o capitão do mato, contemplando o corpo quase morto do cacique.

— E o que que a gente faiz com ele agora? Acaba de matá? — perguntou o Marcelino, que tinha sacado o facão.

— De jeito ninhum. Deixa ele aí pros bicho cumê!

Logo depois, a coluna de bandeirantes seguia por uma trilha, levando consigo alguns cariris presos por cordas. Eram homens, mulheres e crianças. Os velhos haviam sido deixados para trás. Mas nem todos chegariam com vida à vila mais próxima, de tão enfraquecidos que estavam.

Domingos Jorge Velho, contudo, estava pouco preocupado com isso. Aqueles índios não serviriam para nada. Não gostavam de trabalhar, eram indolentes — pensava cheio de rancor.

Ao contrário dele, que era pau para toda obra. Graças a seu sangue branco — concluiu o pensamento com orgulho.

Liquidado o caso dos cariris, agora outra coisa o movia. A questão dos escravos fugidos. Ele sabia que, na Serra da Barriga, nos mocambos de Palmares, os negros amotinados vinham se fortalecendo. Quem os governava era Ganga-Zumba. Ah! Se pudesse pôr as mãos nele — refletia o capitão do mato.

Ao contrário da caça aos índios que não serviam para o trabalho, a caça aos negros rendia um bom dinheiro. Isso porque os escravos é que ajudavam a mover a economia do Nordeste. Sem a força de trabalho deles, o que faria os engenhos de cana-de-açúcar funcionar?

De fato, um engenho, uma fazenda deviam sua prosperidade não só ao empenho de seus donos, mas também à força do trabalho escravo. Portanto, quando um negro fugia, os senhores de engenho ficavam de cabelos em pé. Seria enorme o prejuízo, já que nem todos tinham como caçá-lo. Daí eram obrigados a contratar os bandeirantes e os capitães do mato para trazê-lo de volta.

Os índios, no raciocínio dos capitães do mato, não prestavam para nada. Portanto, se fossem mortos, isso não causava prejuízo algum. Já os negros, não, pois tinham grande valor de mercado. E, por isso mesmo, deviam ser caçados e trazidos vivos e em boas condições até seus legítimos donos.

Vencida a guerra contra os cariris, que tinha sido sua obsessão por tantos anos, agora, Domingos Jorge Velho voltava toda sua atenção para os negros fugidos. Não via a hora de ser chamado pelas autoridades para dar um fim a Palmares. Sabia que esta era uma missão das mais complexas. Tinha ouvido dizer que os negros, além de muito aguerridos, eram chefiados pelo valente Ganga-Zumba.

— Mais um nego metido a besta! — resmungou com rancor, enquanto se deslocava pela mata.

Um dia, ainda acabaria com ele, prometeu a si mesmo.

5. A caçada

Deram pela falta de Francisco bem cedo. Como não viesse ajudar a rezar a missa logo pela manhã, o padre Melo foi ele mesmo procurá-lo.

— Mas onde está este menino? — se perguntou, intrigado.

Era sempre tão pontual... Pouco depois, a negra Maria Rosa veio dizer que faltavam pães e um grande bocado de carne-seca na despensa. As mãos nos quadris e, furiosa, pôs-se a reclamar:

— Inda onte tava tudinho lá. Arguém pegô de noite. Dispois, num vão falá que fui eu.

— Ninguém está te acusando de nada, Maria Rosa — disse o padre Melo, de maneira calma, ponderada. Ele conhecia muito bem o jeito bravo da negra. Era prestativa e trabalhadora, mas quando se enfezava...

— Ah — a Maria Rosa ainda se lembrou de dizer —, tamém levaro meu facão de cortá carne!

Contrafeito, o padre mandou chamar o feitor, o Mourinho.

— Anda lá, vai me procurar onde está esse rapaz.

Meia hora depois, o homem tornava.

— Num achei o Francisco em lugá ninhum.

— Tens certeza de que o procuraste em todo lugar? Será que não foi se banhar no rio?

— Já precurei o nego em tudo quanto é canto. Fui no mato, fui no rio, e ele tamém num tá lá.

O padre cruzou os braços e perguntou como que para si mesmo:

— Onde é que este rapaz se meteu...?

— Acho que ele fugiu.

— Fugir? Por que iria fugir? — disse o padre Melo, irritado. — Sempre foi bem tratado. Não teria por que fugir.

— Nego é sempre nego — disse o Mourinho com desprezo. — Inda mais que agora os nego fugido anda aí contano vantage. Num tem dia que não foge um escravo de Porto Calvo.

O padre Melo esperou por um tempo que Francisco voltasse. Mas, depois do almoço, esgotada sua paciência, ordenou que o capitão do mato, o Ferreira, fosse atrás dele. O que lhe doía era saber que, apesar de todos os cuidados que vinha tendo com Francisco, ainda ele inventasse de fugir.

E fugir para quê? — pensava, remoendo a raiva. Para se misturar com aquela gente selvagem e pagã? Para negar todos os ensinamentos que havia recebido? Para voltar a ser um bronco, um ignorante?

Estava quase para concordar com o feitor. Os negros não tinham mesmo jeito... Procurou afastar o pensamento ímpio. Pôs-se então a pensar em outra coisa. Francisco sempre tinha sido tão dócil... Devia tudo ser culpa de Kokumuo! Maldito feiticeiro! Vinha pondo a perder uma alma que havia conquistado com tanto esforço.

Chamou de novo o feitor Mourinho à sua presença:

— Está bem, dize ao Ferreira que saia à procura do Francisco.

— Tá bão, Siô padre. Vô falá pra ele...

Antes que o homem deixasse a casa, ainda se lembrou de avisar:

— Mas não se esqueça de dizer a ele para não maltratar o menino. Se encontrarem o Francisco, não o castiguem. Deixem que disso me incumbo!

Mourinho deu um sorriso cínico. Mas, ao notar que o padre Antônio tinha a cara fechada, apenas inclinou a cabeça e murmurou:

— Pode deixá, Siô padre... Falo pra ele...

Uma expedição formada por seis homens, chefiada pelo Ferreira, foi enviada à procura de Francisco. Para guiá-los, ia à frente um cão especializado na caça aos escravos fugidos.

O padre Melo ficou um pouco mais conformado. Não demoraria muito — pensava —, Francisco estaria de volta. E desta vez não receberia apenas uns cascudos como castigo...

Sabia que Francisco o havia desrespeitado. Como ficaria, se o recebesse apenas com palavras de admoestação?

Ele merecia uma pena mais dura. Havia passado todos os limites. Castigá-lo com severidade deveria servir de exemplo para os demais negros.

O padre Antônio deu um suspiro de desagrado e persignou-se.

6. Um encontro inesperado

Há quanto tempo vinha caminhando? — ele se perguntava, extenuado. Havia perdido a noção dos dias. Nu, imundo, todo desgrenhado, continuava a se arrastar em direção da Serra da Barriga. O tornozelo ainda doía um pouco. Mas nada que o impedisse de seguir sempre em frente.

Os mantimentos que havia trazido de Porto Calvo tinham terminado. Alimentava-se de raízes, ovos de pássaros e pequenos roedores que conseguia caçar. Mas a fome era contínua, intermitente.

E o cansaço intensificava-se, porque dormia mal. Escondendo-se em moitas, pequenas grotas, não podia fechar os olhos direito. Temia as feras, mas, acima de tudo, temia os homens.

Nunca que voltaria a Porto Calvo preso por um libambo. Preferia morrer. Se fosse encontrado, atacaria os homens. Com o facão. Com os punhos. Com os dentes. E faria assim que o matassem. A morte era bem melhor do que a escravidão — pensava.

O instinto lhe dizia que eles continuavam em seu encalço.

Tinha consciência de que era uma presa muito valiosa. Era protegido do padre Melo e tinha lá suas regalias. Sendo assim, a recompensa por sua captura seria bem alta.

— Não, eu nunca vou voltar pra Porto Calvo — dizia rangendo os dentes.

Preferia morrer. O destino de escravo não era seu destino — refletiu com raiva. Viver como um cão, à sombra de seu dono. Roendo ossos e obediente ao estalar dos dedos.

Agora que era livre, sentia-se feliz. Apesar das agruras e do sofrimento. Era em Palmares que estava seu destino. Quando chegasse à Serra da Barriga — pensava —, podia descansar junto a seus iguais. Todos homens libertos, sem dono.

Mas, por enquanto, ainda tinha um longo caminho a percorrer. A distância, a Serra da Barriga era apenas um conjunto de elevações azuis.

Já estava extenuado. Alimentar-se só de raízes e de ovos de pássaro vinha reduzindo sua resistência.

Até que um incidente veio mudar sua sorte.

Trovejava muito, raios cortavam o céu e uma forte chuva começou a cair. O vento zunia e mais e mais descargas se ouviam.

Foi então que viu ao longe uma mula, carregando alforjes. Apesar da tempestade, estava tranquila, pastando. Para não assustá-la, aproximou-se bem devagar. Onde estaria seu dono? — pensou, intrigado, enquanto pegava as rédeas do animal.

Não viu ninguém. Começou a andar, puxando atrás de si a mula. Chegando junto a um rochedo deparou-se com um corpo deitado de costas. Aproximou-se dele. Era de um homem baixo, gordinho. Será que estaria morto?

Inclinando-se, reparou que respirava. Num dos lados da cabeça, tinha uma ferida bem feia. Como a chuva começasse a cair com mais força, arrastou o homem para uma reentrância do rochedo.

Ao abrigo da forte chuva, limpou a ferida com um pedaço de pano molhado. Rasgando a blusa do homem, improvisou uma atadura, envolvendo quase toda sua cabeça. Depois, ficou à espera de que ele acordasse.

Até que o homem deu um gemido e despertou. Ao deparar com o negro a seu lado, estremeceu e deu um grito de susto. Mas, como ele não fizesse gesto algum de ameaça, o tropeiro se acalmou.

Com algum esforço, o homem levantou o tronco, apoiou-se na parede do rochedo e disse:

— Nego fugido, hein?

Zumbi não disse nada. Permaneceu agachado, contemplando-o.

— A mula — explicou o tropeiro. — A mardita se assustô com um trovão e me pegô de jeito.

Zumbi continuou em silêncio.

— Um poco de aguardente ia bem agora. Me pega aquele alforje ali — disse o tropeiro, apontando para o lombo da mula.

Ele fez o que o tropeiro pedia. Entregou-lhe o alforje, de onde o homem tirou uma garrafa. O tropeiro bebeu um gole e passou a garrafa para Zumbi. Como fizesse um pouco de frio, a bebida desceu bem.

— Tu deve de tá cum fome, né?

Sem esperar pela resposta de Zumbi, o homem tornou a abrir o alforje. Pegou um pedaço de carne-seca, pão e farinha. Comeram em silêncio. Quando terminaram, o homem disse:

— Tu tá de fugida pra Palmares?

Como Zumbi nada dissesse, ele completou:

— Tô vino de lá...

Contou que se chamava José de Moura e era tropeiro. Negociava com tecidos, panelas, facões, que trocava com negros libertos por pepitas de ouro, pedras preciosas, peles.

— E tu? Donde vem tu?

— Porto Calvo.

— Mais dois dia de caminhada e tu chega em Palmares. — Ele fez uma pausa, deu um sorriso zombeteiro e completou: — Isto, se argum capitão do mato não te pegá antes. Por isso, aconseio que tu vai bem depressa. Tu chega donde os negro fugido tá. E branco ninhum vai tê corage de te precurá.

Todo excitado, Zumbi perguntou sobre Palmares. Soube então que o quilombo era composto de vários mocambos ou núcleos de povoamento, entre eles os de Subupira, Tabocas, Arutirene e Macaco.

— Palmares tá cum povo bem grande — completou o tropeiro. — Mais de vinte mir nego.

E isso justificava o temor dos donos de engenho da região. Volta e meia, fazendas e vilas eram assaltadas por hordas de escravos libertos.

— Mais eu num tenho nada contra eles, não. Sempre me respeitaro e me trataro bem. E faço negócios bão cos nego.

No dia seguinte, a tempestade havia passado. José de Moura presenteou Zumbi com um calção, uma blusa, pedaços de carne-seca, pão e farinha. Despediram-se:

— Brigado, num fosse tu, tava eu largado aí. Quem sabe inté comido pelos bicho.

— Eu que agradeço vosmecê pela comida e pelas roupas — disse Zumbi, inclinando-se.

Quando o tropeiro começou a descer a encosta, Zumbi foi assaltado pela dúvida. E se ele encontrasse seus perseguidores e o denunciasse em troca de alguma recompensa? Devia tê-lo matado — pensou com raiva.

Não — reconsiderou —, o homem tinha sido tão receptivo depois que havia cuidado dele. Não faria uma coisa dessas. Talvez até despistasse os perseguidores.

Mas, de qualquer jeito, precisava redobrar os cuidados. Pelas informações do tropeiro, ainda estava a uma distância bem grande de Palmares.

7. A fazenda N. S. da Ajuda

O senhor de engenho Diogo Lopes era dono da fazenda Nossa Senhora da Ajuda. A mando da esposa, dona Eufêmia, tinha ido até Porto Calvo, onde arrematou Zaila e Kênia no mercado de escravos.

Na verdade, ele precisava mesmo era de mais negros na plantação. E lá vinha a mulher dizendo que queria negras para a casa-grande!

— Mas já tens a Ângela...

— A Ângela nada sabe de cozinha.

— Então, te trago mais uma negra — disse, resignado.

— Uma, não, duas. Quero uma pra cozinha e outra pro arranjo da casa.

E tocava a ele gastar dinheiro com negras — pensou com raiva. Mas nunca que diria não à Eufêmia. A mulher ficaria furiosa.

Ia aborrecido para Porto Calvo. Não bastassem os problemas com os negros fugidos, com as implicações da mulher, ainda tinha um filho irresponsável, o João Carlos. Vivia bebendo e dando em cima das negras. Já tinha engravidado umas tantas, e os bastardos andavam nus pela fazenda.

Era a preguiça em pessoa. Com o que vinha ganhando na fazenda, queria mandá-lo para a metrópole, a ver se estudava, se aprendia alguma coisa. Mas não, o filho preferia a vadiagem.

E tudo culpa da mãe. Não podia lhe encostar um dedo, que ela virava uma fera:

— Tu que me toques no Joãozito!

No mercado de escravos, ele ficou um bom tempo observando os negros. Tudo pele e osso!

— O que se pode fazê? — disse um traficante. — Tivemo uma travessia braba. Mas, se vosmicê oiá bem, vai encontrá boas peça neste lote.

— Não vejo nada que presta — disse, já irritado.

— Do que vosmicê percisa?

— Duas negras pra trabalho em casa e dois negros pra lavoura.

O traficante apontou com o chicote para Kênia e Zaila, que permaneciam de cabeça baixa, como que indiferentes a seu destino.

— Tenho aquelas duas ali. Mãe e filha.

Diogo Lopes aproximou-se e tapou o nariz:

— Como fedem estes negros!

— O que vosmicê qué? Tão sem tomá banho desde Luanda. Mais vosmicê dá um trato nelas. E vai vê como vai ficá bem cheirosinha. E esta negra tem uns zoio bunitu, umas anca forte...

— Tô lá interessado em beleza de negra!

Queria de tudo, menos uma negra atraente para fazer as alegrias do filho...

Tornou a examinar Zaila e Kênia. Estavam magérrimas, mas tinham bons dentes. Com um trato adequado, como lhe tinha dito o traficante, as punha em forma. Escolheu mais dois negros, que também lhe pareciam ter boa constituição.

— Tá bem, arremato estes quatro.

Regateou bastante.

— Não posso pagar o preço cheio. Estes negros tão pele e osso.

O traficante acabou dando um desconto. Diogo Lopes mandou que os novos escravos subissem na carroça puxada por bois. Ele montou em seu cavalo. Fez sinal ao negro que guiava a outra carroça para começar a andar.

***

Chegaram à fazenda depois de um dia e meio de penosa viagem. Zaila e Kênia estavam exaustas. Mas, pelo menos, haviam recebido alimento e água à vontade.

Habituada ao ambiente sórdido do tumbeiro, Kênia encantou-se com os canaviais. Ao ver tanto verde, não pôde deixar de exclamar:

— Veja que bonito, mamãe!

Zaila teve que concordar com a filha. Depois de tudo que haviam passado, qualquer paisagem teria sua beleza. Até um simples canavial. Mas, se ela se sentia mais bem alimentada e sentada com certa comodidade no carro de boi, continuava circunspecta pensando no futuro que as aguardava.

Pelas conversas dos negros que viajavam com ela, percebeu que não teria vida fácil. Para não serem repreendidos pelo patrão, eles falavam num dialeto, misturando palavras em banto[20] e português:

[20] Grande conjunto de línguas do grupo nigero-congolês oriental faladas na África. Pode designar também os povos que falam essas línguas.

— A patroa imprica com tudo. Uma coisinha e já manda os nego pro tronco — disse um escravo que se chamava Ezequiel.

Zaila e Kênia vinham vestidas apenas com um saco de aniagem todo roto. Por isso, não conseguiam resguardar bem o corpo. O outro negro, de nome Antônio, lançou a vista para os seios de Kênia, que via através dos rasgados da roupa, e disse:

— Deixa o Patrãozinho botá os zoio nisso...

— E vosmicê acha que o Patrãozinho vai querê zoiá pra uma coisa magrela como essa daí? — retrucou o Ezequiel. — Ele gosta de muié carnuda.

— Num sei não. É só ela ganhá um poco de carne, e o Patrãozinho vai fazê a festa.

A comitiva estacionou diante da casa-grande. Diogo Lopes, ao mesmo tempo que mandava Zaila e Kênia descerem do carro de bois, gritou para dentro:

— Eufêmia!

Como a mulher demorasse para atender, irritou-se. Tornou a gritar:

— Eufêmia!

— Já vai! Já vai! — vinha ela de dentro.

Ao deparar com Zaila e Kênia, perguntou:

— Então, tu me trouxe as negras que pedi...

— Estas duas.

Eufêmia lançou um olhar depreciativo para elas e disse:

— Não havia nada melhor? Não têm carne... Só pele e osso...

Chegando mais perto, exclamou, tapando o nariz:

— E como fedem! Que horror!

— O que querias? — disse Diogo Lopes ainda irritado. — Foi o que deu pra comprar.

— Leva elas pra longe daqui. Pra tomar banho com sabão e pra cortar esta carapinha imunda. Deve de tá tudo cheio de piolho!

Eufêmia não esperou que Zaila e Kênia descansassem da viagem. Nem bem se banharam num riacho com sabão, tiveram que comparecer no casarão. Como fossem servir dentro da casa, receberam vestidos de uma chita bem ordinária.

Começou assim a rotina das duas. Mal o sol raiava, deixavam a senzala, onde dormiam sobre palhas de milho, e corriam para a casa-grande. No primeiro dia, quem passou a elas as primeiras instruções foi o Beato.

Era um negro enorme, a cara comida por bexigas. Tinha um ar feroz. Como ajudava o feitor Silvério, se acreditava superior aos demais negros, tratando-os com rispidez. Chegava mesmo a chicoteá-los quando não o obedeciam.

Fitando as mulheres com desprezo, disse cheio de soberba:

— Vô epricá só uma veis. As duas vai trabaiá drento da casa. Vê se aprende depressa e tudo dereito! Se a patroa recramá... — a ameaça ficava no ar.

Sem entender direito o que o Beato tinha dito, foram levadas à casa-grande. Iam aflitas, assustadas.

A negra Ângela, que era antiga na fazenda, ensinou a elas o que fazer, usando de mais brandura que o Beato:

— É pra ponhá o leite pra fervê e o pão pra cozê.

Na cozinha, as mulheres puseram no fogão a panela para ferver o leite. Ângela ensinou como o pão de milho devia ser sovado e, depois, cozido no forno.

— E vosmecê — acabou explicando para a Kênia — leva o leite pra patroa lá drento. Mais num derruba nem uma gotinha, minina. Senão, Nhanhá vira onça!

Segurando a caneca com o leite, lá se foi ela, internando-se na casa-grande. Chegando diante do quarto indicado, parou. O que devia fazer? Hesitou um pouco, mas acabou entrando.

Ao vê-la entrar, Eufêmia, que estava encostada nos travesseiros, gritou:

— O que tu tá esperando, palerma! Anda logo com este leite, que quero bem quente!

Assustada, Kênia foi ao encontro da mulher. Contudo, tropeçou no tapete e derramou parte do leite nos lençóis. Foi o bastante para a mulher crescer sobre ela. E com o que tinha à mão — um castiçal de barro com uma vela — deu com ele na cabeça de Kênia. Mas não uma só vez. Sem dó nem piedade, bateu na menina, que havia se ajoelhado, até quebrar o castiçal.

Apesar do rosto todo cortado, Kênia chorava baixinho, temerosa de apanhar mais. Tremia tanto que parecia estar com febre. Incapaz de se levantar, ela escondia a cabeça entre os braços.

— Some daqui, desmazelada!

Kênia não entendia a língua, mas, graças ao gesto imperioso da mulher, desconfiou que devia ir embora. Soluçando, ela deixou o quarto, sob uma chuva de insultos.

Esta foi a estreia de mãe e filha na fazenda N. S. da Ajuda.

O que seria delas num mundo inóspito como aquele? E ainda mais sem Olu de lado, pronto para acudir. E naquela semana ouviram apenas gritos, insultos. A torto e a direito levavam bordoadas nos braços, nas pernas, na cabeça. Às vezes, só por terem cometido algum pequeno erro.

Aos poucos, Zaila veio a perceber que Nhanhá sentia prazer em castigar. Era com um sorriso maldoso que aplicava uma surra numa escrava. E, de modo geral, por uma coisa de nada.

Foi só aí que ela entendeu as marcas que Ângela tinha nos braços, um corte na bochecha e um olho pisado. Depois que se tornaram um pouco mais íntimas, a negra lhe disse com rancor:

— A patroa deve de tê parte com o tinhoso... Nunca vi gente tão ruim.

Aos poucos foram se habituando àquela vida dura e sem esperanças. É bem verdade que tinham um lugar para dormir, água e comida e a solidariedade da maioria dos escravos.

Tentavam entender por que os deuses da noite e da água as haviam abandonado. Vinham de experimentar uma sequência dolorosa de castigos — a vila invadida por uma tribo rival, a venda da família aos traficantes, a morte de Olu, a viagem naquele tumbeiro infecto. E, para coroar aquilo tudo, a aquisição delas pelo dono da fazenda e a estupidez de Nhanhá.

Que mal haviam feito? Não tinham resposta. Era preciso então que se resignassem, se quisessem sobreviver. Negros rebeldes eram castigados pelo Beato. Não era raro verem escravos atados ao tronco, o corpo cortado por chicotadas. Por isso mesmo, procuravam obedecer às ordens sem reclamar.

Contudo, Zaila ainda tinha uma grande consolação. Era ter Kênia a seu lado. E Kênia, por sua vez, tinha Zaila.

Era a única coisa que dava sentido a suas vidas tão sofridas.

8. A caçada continua

Revigorado pelo alimento e vestido com os calções e a blusa, Zumbi começou a andar com mais disposição.

Na manhã seguinte, porém, pareceu-lhe ver, bem ao longe, um homem sozinho, guiado por um cão, que se aproximava rapidamente. Seus perseguidores deviam ter se dividido para melhor seguir seu rastro — pensou, assustado.

Tentou se apressar, mas reparou que não podia forçar demais a perna. Para seu desespero, viu-se obrigado a se locomover bem devagar. Olhou para trás e viu que o homem e o cão vinham andando num ritmo acelerado. Desalentado, percebeu que, daquele jeito, seu perseguidor logo o alcançaria.

O que fazer? Foi então que viu à sua esquerda uma pequena mata, onde podia se esconder. Mas o homem tinha o cão e logo o localizaria — reconheceu. Era melhor, portanto, procurar se defender. E como, se tinha como arma apenas o facão?

Munindo-se de pedras, internou-se na mata. Ao achar uma árvore não muito alta, escalou-a e ficou à espera, escondido na ramaria.

Quase uma hora depois, o homem, seguindo o cão, que parecia muito excitado, também entrou no arvoredo. Quando chegaram diante da árvore em que ele estava empoleirado, o cão começou a latir. O homem, avistando-o, apontou o bacamarte e gritou:

— Desce daí, nego fujão!

Em resposta, Zumbi atirou uma pedrada certeira, acertando a têmpora do homem. Seu perseguidor deu um berro e caiu de bruços. Quanto ao cão, que não parava de latir, recebeu também outras pedradas. Atingido numa das pernas, saiu correndo e ganindo.

Zumbi desceu da árvore e foi examinar o homem. A pedra tinha feito um feio estrago, porque a cabeça dele estava rachada. Menos um para persegui-lo. Sem perda de tempo, despojou-o das botas, da faca, da água e da comida que trazia num saco. Também não deixou de se apoderar do bacamarte e da munição.

Agora, não estava tão indefeso assim. Além do facão, contava com a arma de fogo!

Zumbi saiu da mata. Avistou o cão, que manquitolava. Fez um gesto com a mão, como se atirasse uma pedra, e o animal afastou-se.

Ele continuou a caminhada em direção de Palmares. Num determinado instante, ao voltar a cabeça, reparou que o cão o seguia. Fez outro gesto com a mão, e o cão tornou a fugir, manquitolando.

Vendo que o cão não parava de segui-lo, deixou que ele o alcançasse. Mas, quando isso aconteceu, o animal ficou a uma distância prudente. Zumbi pegou um pedaço de carne-seca e lhe atirou. O cão devorou-o e começou a abanar o rabo.

Zumbi sorriu. Um cão seria bem-vindo em sua jornada. Além de companhia, serviria para alertá-lo de estranhos. Ofereceu-lhe, sem atirar, outro pedaço de carne. O cão se aproximou e aceitou o alimento.

Ele fez-lhe uns afagos no pescoço. Depois, examinou o ferimento na perna, resultado da pedrada. Reparou que não era grave, embora o animal continuasse a manquitolar. Formavam um par perfeito — ele reconheceu —, ao se lembrar de que ele também mancava um pouco.

Recomeçou a andar. Dócil, o cão o acompanhou, abanando o rabo.

— Tu precisa ser batizado... Donde se viu um cão sem nome? — disse Zumbi, parando de andar.

Era um cão fila, todo negro, de porte médio e cabeça grande. Que nome lhe daria? Quem sabe o nome de um deus. Isso porque o animal era mesmo uma dádiva dos deuses que o vinham protegendo.

— Ori... — ele murmurou.

Sim, podia lhe dar o nome de "Ori". Designava o deus da intuição espiritual e do destino. Literalmente, significava "cabeça".

— Ori! — Zumbi disse mais alto.

O cão, como se aceitasse de imediato o nome, voltou a abanar o rabo.

— Vamos embora, Ori, vamos pra Palmares.

E assim Zumbi ganhava um companheiro fiel, que o deixava mais confiante na sua longa jornada até a Serra da Barriga.

9. Intervenção providencial

Ori lhe foi mesmo de muita utilidade. Não só ficava de vigília enquanto ele dormia, como também caçava. Não era raro o animal desaparecer um tempo e retornar com um preá, um calango[21].

Como a carne-seca havia acabado, era com satisfação que Zumbi se dispunha a comer os animais. Com as pederneiras tiradas de seu perseguidor, fazia fogo e assava os bichos num espeto. A cabeça entre as patas, Ori esperava por seu quinhão: os ossos, as barrigueiras das presas.

O cão tinha sido providencial! — pensava Zumbi, agora, já mais descansado e lambendo os dedos. O animal era mesmo um presente dos deuses.

A barriga cheia, ele contemplava as encostas da Serra da Barriga. Mais um dia e chegaria a seu destino.

[21] Roedor e lagarto típicos do Nordeste.

Antes disso, porém, outro incidente veio a perturbar sua caminhada. E não fosse Ori, teria sido subjugado e preso. Estava ele andando entre grandes rochas, quando foi surpreendido por um grito:

— Parado aí!

Voltou o rosto e viu um homem armado com um bacamarte surgir atrás de um rochedo. Como ele estava há poucos metros, se atirasse, podia abrir um rombo em seu corpo. Por isso, obedeceu.

— Prende isto nos braço — gritou o homem, atirando em sua direção umas correntes.

Zumbi hesitou antes de obedecê-lo.

— Faiz o que mandei, nego imundo, senão te arrebento! — berrou o homem, ameaçando-o com a arma.

Sem muito pensar, Zumbi gritou ao cão:

— Pega, Ori!

De imediato, o cão, obedecendo ao comando, atirou-se ao homem. Como era muito forte, derrubou-o. O bacamarte disparou, mas o tiro, desviado pela pancada, passou ao lado de Zumbi, sem feri-lo.

Seu perseguidor e o cão começaram a lutar. O animal tentava morder a garganta do homem. Este, em desespero, punha o braço à frente para se defender, ao mesmo tempo que berrava:

— Sai, diabo! Sai, diabo!

Ah, então, tinham dado nome ao cão de "Diabo"? — pois o animal era mesmo um diabo. Tanta era a fúria com que atacava o homem. Mais um pouco e as fortes mandíbulas lhe dilacerariam a garganta.

Apoderando-se do bacamarte e notando que seu perseguidor não tinha mais como feri-lo, Zumbi gritou:

— Chega, Ori!

Mas o cão parecia enlouquecido, as mandíbulas procurando a garganta do homem. Zumbi aproximou-se e deu de leve com a coronha na cabeça do animal, que ganiu, deixando a presa.

Zumbi ajoelhou-se e reparou que o homem tinha feridas no braço com que havia tentado se proteger da fúria do animal.

— Mardito cão! Ele me pegô de jeito — o homem gemeu.

Foi então que Zumbi o reconheceu. Era o capitão do mato, o Ferreira. Quantas e quantas vezes, não o tinha visto saindo de Porto Calvo, numa expedição, e voltado com negros apresados. Era famoso não só por sua eficácia, mas também pela crueldade.

O que fazer com ele? — Zumbi pensou. Estava ali à sua mercê. Um golpe de facão ou uma ordem dada a Ori e acabava com sua soberba. Como que adivinhando seus pensamentos, Ferreira perguntou com arrogância:

— O que tu vai fazê comigo?

— O que acha que vosmecê merece? — disse Zumbi em resposta.

Ferreira deu de ombros e disse com desprezo:

— Tu vai me matá, num é? É o que sempre faiz os nego fugido.

— Sabe que não seria uma má ideia? — rosnou Zumbi.

Mas, após refletir um pouco, ele chegou a uma conclusão diferente. Não, não devia matá-lo. Era preferível deixar o capitão do mato voltar para Porto Calvo todo ferido e desmoralizado. Com certeza, a partir daí, os brancos começariam a temê-lo e respeitá-lo.

— Vai embora — disse, apontando em direção de Porto Calvo.

— Tu num vai me matá? — perguntou Ferreira, perplexo.

— Por que eu devia matar vosmecê?

Ferreira fechou a cara e disse cheio de rancor:

— É a única coisa que selvage sabe fazê. Matá os branco — E respirando com dificuldade, concluiu: — Mais tu não pensa que vô deixá de te persegui.

Zumbi sorriu com superioridade.

— Se vosmecê vem atrás de mim, vai ver o que acontece. Vou acabar com tua raça.

— Nego nojento! Da próxima veis, juro que te mato.

O sangue subiu à cabeça de Zumbi, que levantou o facão. Mas se conteve. O que era aquele pobre diabo para ele? Nada!

— Vai embora daqui! Antes que eu arrependo — disse com raiva.

Ferreira levantou-se com dificuldade. Cheio de ódio, fitou Zumbi por um momento. Depois, deu-lhe as costas e começou a caminhar. Quando ele se distanciou um pouco, Zumbi não pôde deixar de gritar uma bravata:

— Vai embora e conta pros brancos que vosmecê foi derrotado por Zumbi! Zumbi dos Palmares!

Foi até Ori e afagou-lhe a cabeçorra. O cão ganiu e lambeu sua mão. Como prêmio, recebeu uma boa porção de carne-seca.

10. O patrãozinho

Era conhecido por todos da fazenda N. S. da Ajuda como "Patrãozinho". Mas, ao contrário do pai, que trabalhava de sol a sol, o jovem era preguiçoso. Filho único, mimado pela mãe, queria que todas suas vontades fossem atendidas. Em criança, passava o dia inteiro no mato com a molecada do engenho.

Desde pequeno, foi se mostrando um tirano. Batia muito nos moleques com quem brincava. Chegava mesmo a machucá-los com as pancadas. A exemplo da mãe, servia-se do que estivesse mais à mão para castigar meninos e meninas.

Era comum o Patrãozinho usar os companheiros de brincadeiras como montaria. Subia nas costas de um moleque um pouco maior que ele e batia-lhe com um chicotinho, bradando:

— Eta cavalinho bão! Upa! Upa!

Eufêmia achava a maior graça nele. Satisfazia todas as vontades do Joãozito. O menino comia o que queria, quando queria. Gostava muito de doces. Era capaz de devorar sozinho toda uma cumbuca cheia de goiabada. A única pessoa a quem temia um pouco era o pai.

O Patrãozinho tinha um temperamento mau. Maltratava os animais, estripando aves, cães e gatos, para "vê por drento", como costumava dizer.

Mas a coisa de que mais gostava de ver era um negro sendo castigado. Os olhos acesos, ficava ao lado do Silvério, o feitor, quando ele chicoteava um escravo no tronco. Chegava mesmo a ponto de se oferecer para dar umas chicotadas no infeliz.

— Agora, é a minha veis. Quero sangrá esse nego...

— O Patrãozinho tem a mão boa pro chicote — comentava o feitor Silvério, ao contemplar o esforço do menino. — Nego ninhum vai pudê brincá com ele...

E assim o Patrãozinho foi crescendo todo solto. Quando a mãe quis alfabetizá-lo com a ajuda do padre Rolim, foi em vão. Era malcriado e costumava fugir das aulas. Quando não fugia, nada aprendia. Porque fosse estúpido ou mesmo indolente.

— A senhora precisa dar um cobro neste menino, D. Eufêmia — dizia o padre. — Desse jeito, não aprenderá nada.

— Ora, padre Rolim, deixa ele — dizia a mãe passando a mão pelos cabelos sujos e emaranhados do filho. — É criança ainda, depois, vai aprender...

Dava um muxoxo e completava:

— Também aprender pra quê? Ele já sabe as letras e contar... Tá bom demais. Dá pra ajudar o pai na lavoura e tomar conta do que é dele.

— Olha, D. Eufêmia, se a senhora quer saber, ele também não gosta de trabalhar. E do jeito que a coisa vai, nem sei se vai aprender a ler direito...

Como o padre tinha profetizado, o Joãozito mal aprendeu o abecedário. Era incapaz de entender um versículo da Bíblia.

— Nem as palavras de Deus este selvagem grava... — dizia o padre Rolim para si mesmo com tristeza.

E assim ele foi crescendo tão ou mais bronco que os escravos com quem costumava brincar.

Já adulto, transformou-se num tirano completo. Não fosse o pai intervir, teria matado um escravo por nada. Pôs-se a bater nele com um pedaço de pau. Mesmo vendo que o negro estava inerme no chão, continuou com o castigo.

Chamado pelo feitor, o pai veio correndo. Chegou a ponto de suster o braço do filho:

— Para com isto! Tu não tá vendo? Desse jeito, tu me mata o negro.

— É para matá memo! — gritava o Patrãozinho, possesso. — Esse nego vagamundo num aprende.

— Tu tá loco, Joãozito? Sabe quanto paguei pelo negro?

— Num sei e num quero nem sabê — disse o Patrãozinho, erguendo novamente o porrete. — Vô exemprá ele.

— Pois, tu tá louco?! — insistia o pai. — Vai me estropiar o negro? Não vai não, que eu te estropio primeiro.

O jovem nunca tinha visto o pai tão irritado. Vermelho como um tomate, tinha as veias do pescoço inchadas a ponto de estourar. Refletiu um pouco se devia recuar ou não, mas resolveu não arriscar.

De fato, para o pai, ele havia passado da conta. Diogo não ia perdoar se perdesse o capital investido no negro.

O Patrãozinho sorriu e disse com deboche:

— Dispois, dô um jeito no safado.

— Se tu aleija o meu negro, eu que te aleijo!

Não bastassem esses momentos de fúria, em que não respeitava ninguém, o Joãozito continuava com a vida de vagabundo. Passava os dias pescando, cavalgando, bebendo cachaça ou dormindo.

Em vão, Diogo tentou interessá-lo pelos assuntos da lavoura:

— Olha, filho, que tu tem que cuidar do que vai ser teu.

— Isso num é serviço pra mim não. É coisa pro feitô ou pros nego.

— Um dia, eu me vou daqui, e tu não vai saber como lidar com as terras.

Nem a lembrança disso fez com que o Joãozito tomasse juízo.

— Este aí é um caso perdido — o pai comentava com o padre Rolim. — Nem das coisas dele quer cuidar!

E assim o Joãozito tornou-se adulto. Continuava sem fazer nada que prestasse. Havia, porém, uma única coisa que o interessava de fato. Eram as escravas. Meninas, adultas, casadas ou não, considerava-as propriedade sua. À noite, invadia a senzala à procura da "caça", como gostava de dizer.

Quando Zaila e Kênia chegaram à fazenda, não prestou muita atenção nelas. Ele gostava de mulheres sadias, fortes, bonitas. Ao deparar com as duas novas escravas, franziu a cara com desdém.

— O pai pudia tê comprado coisa mió...

— E eu tinha como escolher? — rebateu Diogo com azedume. — E depois, elas não tão aqui pela beleza, e sim pra trabalhar.

— O Patrãozinho gosta de escoiê bem o gado dele — costumava comentar o feitor. — Muié pro Patrãozinho tem que tê peito e anca. Sinão ele num qué nem sabê. Muié feia e magrela ele despreza.

Mãe e filha trabalhavam duro, de sol a sol. Não raro, por qualquer motivo apanhavam de Eufêmia. Mas, como passaram a comer melhor, lentamente foram ganhando forças.

Zaila era uma negra encorpada, com coxas fortes. Tinha os lábios cheios e belos olhos, onde havia uma tristeza indefinida. Às vezes, costumava ficar alheada, distraída. Eram os momentos nos quais se lembrava de sua terra natal e do marido. Mas segurava as lágrimas, porque sabia que não podia se render à tristeza.

Sua única felicidade era Kênia, a quem procurava proteger de todas as maneiras. Ora trabalhando dobrado para poupar a filha, ora consolando-a quando ela apanhava de Eufêmia.

— Num chora não, meu bem. Num chora...

O primeiro a notar que Zaila ganhava forças e recuperava a beleza foi o feitor Silvério. Ele também gostava de se servir de uma negra. Mas, como sabia que o Patrãozinho preferia as negras bonitas, tinha muito cuidado em suas investidas.

— Num mexo nunca no gado do Patrãozinho — costumava dizer ao mestre do engenho com um sorriso malicioso. — Tenho as minha cria pra cevá.

— Cê qué dizê o resto que o Patrãozinho num qué mais, num é? — dizia o Guedes, também sorrindo com malícia.

Era ele se encontrar com Zaila, e logo lhe dizia com gula no olhar:

— Tu tá ficano bunita, nega...

De cabeça baixa, Zaila nada dizia. Apenas reprimia a raiva. Sabia o que a esperava. A Ângela era uma das escravas que a haviam alertado sobre seu destino:

— Pode esperá que o Patrãozinho vai dá em cima de ti.

A partir daí, a vida de Zaila se tornou um inferno. Sentia repulsa daquele jovem obeso, de olhar feroz. A primeira vez que ele a atacou foi numa trilha na floresta, onde ela carregava uma trouxa de roupa lavada.

— Adonde tá ino tanta belezura? — ouviu o conhecido vozeirão às suas costas.

O coração disparado, fez que não era com ela. Toda trêmula, continuou a andar. Mas o Patrãozinho a alcançou e a puxou com violência pelo ombro. A trouxa de roupa caiu no chão barrento.

— Meu Sinhô, a ropa...

— Que ropa o quê — disse ele, forçando-a a se deitar. — Vamu fazê um coisa gostosa.

Com fúria animal, ele lhe rasgou as vestes. Passiva, sem resistir, porque sabia que era inútil, deixou que ele fizesse o que queria.

Quando ele se foi, Zaila começou a chorar de mansinho. Seu destino então era servir de pasto àquele bruto? — pensou, desolada. Lembrou-se dos modos doces de Olu e chorou mais ainda.

As escravas, que vinham da lavagem de roupa, ao darem com Zaila seminua e machucada, pareceram não dar muita importância ao fato. Estavam já acostumadas com aquilo. Quantas e quantas vezes não tinham chegado a ver o Patrãozinho atracado com uma negra ao ar livre...

Uma delas ajudou Zaila a se recompor e a catar a trouxa. Uma outra, chamada Rosaura, que costumava ser a preferida do Patrãozinho, disse com despeito:

— Ele vai querê te usá agora todo dia. Mais dispois vai querê carne nova. E aí, tu fica como eu, largada pro Sirvério.

Quando a Rosaura disse aquilo, Zaila teve um mau pressentimento. Ela lembrou-se de que Kênia estava crescendo. E se ele...? Não, não podia deixar. Que o Patrãozinho se servisse dela quanto quisesse. Mas que poupasse Kênia.

E aquilo se tornou um hábito. De fato, o Patrãozinho deixou Rosaura de vez e começou a procurar por Zaila. À noite, ele invadia a senzala, ia até a enxerga dela e se satisfazia sem cerimônia.

A partir daí, Zaila pedia que a filha fosse dormir ao lado da Ângela.

— Cuida da minina pra mim — implorava, toda humilde.

Enquanto Kênia dormia a seu lado, Ângela permanecia acordada. Ouvia os gemidos e urros do Patrãozinho vindos do outro extremo da senzala.

Pobre Zaila — pensava. Mas ela mesma, em outros tempos, não tinha também servido aos desejos dele?

Agora que estava mais velha e toda machucada, o Patrãozinho a desprezava. Mas preferia assim. Só de lembrar o corpo obeso dele sobre ela, da brutalidade e do bafo de cachaça, ficava enojada.

Sentia contra seu cansado corpo o calor de Kênia. A menina estava crescendo, ganhando peso. E seria bonita como a mãe. Não demoraria muito, e o Patrãozinho ia desejá-la só para si.

11. Reflexões de um padre

Num fim de uma tarde, quatro homens chegaram a Porto Calvo. À frente, ia um deles com o braço envolto num pano sujo de sangue. Pareciam exaustos e andavam a passos trôpegos. Eram membros da expedição que tinha ido ao encalço do negro Francisco.

Vinham desprovidos de algumas armas e do cão que os havia acompanhado no início da expedição. Ferreira foi direto à capela falar com o padre Antônio.

Ao ver o homem picado de insetos, pálido, o braço enfaixado, o padre perguntou, assustado:

— O que aconteceu, Ferreira?!

— Fumo atacado, sinhô padre — gemeu o homenzarrão.

— Atacados como?

— O Francisco...

— O Francisco? Como assim? Seis homens armados não puderam com o jovem!?

O Ferreira balançou a cabeça e mentiu:

— Não, ele num tava sozim. Tava com mais de vinte nego fugido. Fizero uma emboscada no mato.

— Mas, pelo menos, voltaram todos sãos e salvos?

— O Morera sumiu. Ele foi na frente sozinho pra precurá adonde tava o Francisco. Mais ele num vortô. Acho que o danado pegou ele.

— Está bem, está bem — disse o padre Antônio, fazendo um gesto despedindo-o. — Depois, veremos o que fazer para continuar procurando o Francisco.

Ferreira saiu, e padre Antônio ficou sozinho. Com que gente tinha que lidar! — pensou. Não gostava nada, nada daquele Ferreira com seus modos de pessoa bruta, com sua impiedade.

O resultado estava aí: havia deixado o Francisco fugir! E, ainda por cima, vinha com aquela história absurda de que tinha sido emboscado! Mentira — eram mesmo incompetentes.

Andando de um lado para o outro, ele logo se esqueceu da inépcia do Ferreira e começou a pensar em outra coisa. Era sobre a ingratidão humana.

Havia acolhido aquele menino, logo depois de uma das investidas das autoridades contra Palmares. Qual seria o destino de Francisco se não o acolhesse? Um escravo sujeito ao trabalho pesado, a chibatadas. E ele havia tirado a criança das mãos daqueles brutos. Não bastasse isso, o havia ensinado a ler e a escrever.

Mesmo assim, o ingrato fugia para aquelas brenhas, onde habitavam os selvagens. Por quê? Como podia renunciar à luz do saber, aos ensinamentos de Cristo? — pensava, entristecido.

Padre Antônio apertou os punhos tomado pela ira. Conteve-se, ao lembrar que era um sacerdote. Persignando-se, voltou-se para um crucifixo pregado à parede e murmurou:

— Perdão, Senhor...

Mas, em vez de se acalmar, continuou às voltas com aqueles mesmos pensamentos. Talvez o Ferreira tivesse razão, pensou, contrafeito. Os negros eram brutos. Cabia aos brancos educá-los, mas como educar, se insistiam naquela rebeldia, indiferentes aos ensinamentos? Como podiam receber o corpo de Cristo na comunhão, se, nas suas costas, tornavam a adorar entidades abomináveis?

Era por isso que precisavam ser subjugados e, em seguida, cristianizados. Lembrou-se então da bula papal[22], *Romanus Pontifex*, promulgada pelo Papa Nicolau V. Inclusive, sabia de cor uma passagem em que o Sumo Pontífice não só justificava o domínio de Portugal sobre as terras da África, como também a escravidão dos infiéis.

Recitou então em voz alta o trecho:

— "Era preciso invadir, procurar, capturar, vencer e subjugar todos os sarracenos e pagãos que seja, e outros inimigos de Cristo onde estivessem, e os reinos, ducados, principados, domínios, possessões, e todos os bens móveis e imóveis que sejam possuídos por eles e para reduzir suas pessoas à escravidão perpétua, e para aplicar e adequar para si e seus sucessores os reinos, ducados, condados, principados, domínios, posses e bens, e convertê-los para si e seu uso e lucro."

[22] O decreto *Romanus Pontifex* é de 1454 e foi dirigido a D. Afonso, rei de Portugal, no qual ele procura legalizar a posse das terras da África por Portugal, como também justificar a servidão dos chamados infiéis, entre eles os sarracenos e os negros.

Se sua Santidade o Papa pensava assim, como então deveria pensar ele, que era seu humilde servo? — refletiu o padre Antônio.

Os negros eram infiéis e, portanto, de acordo com a bula, deviam ser cristianizados. Mas, no fundo de si, ele sabia que, entre os donos de engenho, a cristianização costumava ser só de fachada. Os negros eram batizados, frequentavam a capela, mas não deixavam suas práticas nefandas. Não era raro, à noite, ouvir de seu quarto o ruído de tambores e rezas.

Mas mesmo os proprietários de engenho não tinham uma vida regrada. Em vez de dar o exemplo, se pareciam aos pagãos. Fornicavam com as negras, bebiam demais e chegavam até a pôr de lado as práticas religiosas. Quantas e quantas vezes não tinha visto brancos pedindo o auxílio dos feiticeiros negros ou indígenas para curar moléstias?! Um verdadeiro absurdo!

E o resultado estava ali! O Francisco, educado na verdadeira fé, havia como que abjurado ao Cristianismo. Entre os brutos, com certeza, iria adorar entidades demoníacas.

E tudo por influência daquele Kokumuo! Ah, o quanto se arrependia de não ter ouvido as sugestões do falecido feitor José Bento:

— Era mió dá um corretivo nesse nego, sinhô Padre. Kokumuo fica falano bobage, e os nego só pensa em fugi.

Acontecia que sentia dó daquele negro velhíssimo, manso, a cabeça branca. Quando se encontravam, todo humilde, ele se inclinava e dizia:

— A bença, Nhonhô pade Tonho, a bença de Sunscristo.

Dava-lhe a bênção. Mas de que valia a bênção, se depois o negro velho ia dizer ao Francisco coisas ignóbeis?

— Kokumuo — censurava-o. — Para de ensinar coisas erradas aos seus... Jesus Cristo não iria gostar.

Sempre humilde (ou ele se fingia de humilde?), sorria, mostrando a boca sem dentes:

— Mais que é isso, Nonhô pade Tonho? Preto veio fica quieto. Num fala nada. Preto veio só faiz reza pra sará os nego...

Sim, na época, devia ter dado ouvidos ao feitor José Bento. Mas o José Bento estava morto. Supersticioso como era, atribuía a doença que o havia matado aos feitiços do negro! Onde se viu um cristão acreditar numa coisa daquelas? Mandinga...

Mas, sob sugestão das palavras ímpias de Kokumuo, o feitor José Bento havia morrido com dores atrozes — refletiu o padre.

— E por que não se fiou ele em minhas palavras de conforto? Por que não procurou consolo nas orações? — disse o padre Antônio a si mesmo, inconformado e com amargura.

O mal estava entranhado na alma dos homens — continuava a refletir. Mais e mais, então, se convencia de quão justa era a bula do Santo Pontífice. Os infiéis deviam ser subjugados e convertidos à fé cristã. Tudo para que a voz de Cristo imperasse para sempre sobre a Terra.

Era o que havia tentado fazer com Francisco. E, a princípio, havia acreditado que tinha conseguido pleno êxito. Afinal, o menino, depois de viver entre broncos, entre selvagens, não havia sido batizado? Não parecia receber com alegria a iluminação do Senhor? Não havia aprendido a ler e a escrever?

E ele parecia tão cordato, tão humilde...

Parecia...

Mas a verdade nua e crua era outra. Na primeira oportunidade, ele o apunhalava pelas costas. Não só fugia de Porto Calvo, como também se tornava um assassino! Onde se viu emboscar os brancos com quem havia convivido?

O que havia acontecido com o Francisco? Onde havia falhado? Será que não havia lhe ensinado direito a doutrina cristã? Mas ele não costumava recitar com tanta graça passagens escolhidas do Novo Testamento? Não o ajudava a rezar a missa, sem cometer erro algum?

Então, onde havia errado?

Padre Antônio ajoelhou-se diante do crucifixo e disse com a voz cheia de agonia:

— Senhor! Onde falhei? Por favor, iluminai-me!

Mas, como resposta, ele tinha o silêncio. Na obscuridade, o rosto de Cristo parecia-lhe uma máscara. Como é que Cristo podia lhe responder, se viviam numa terra bárbara, onde imperavam costumes ímpios?

Padre Antônio levantou-se. Estava triste, desanimado. Mas ele sabia que não podia se entregar àquela tristeza, àquele desânimo. Chegou à conclusão de que não podia desesperar-se. Quem sabe, Francisco não voltaria a ser iluminado pela graça, arrepender-se e regressar a Porto Calvo? Não havia inúmeros exemplos na Bíblia de gente que havia se perdido e depois encontrado o caminho correto?

Se fizesse isso, seria bem recebido. Ele, padre Antônio, como um pai magnânimo, o havia de receber de braços abertos.

Não, não podia se desesperar. Maiores eram os poderes de Cristo!

Padre Antônio deixou a capela. Já escurecia. Pareceu-lhe ouvir o toque de tambores. E isso deixou seu coração sobressaltado.

Talvez Francisco tivesse sido encantado pelas vozes daqueles toques. Como num feitiço. E atraído pelas forças demoníacas, renunciado ao que havia de mais sagrado sobre a Terra.

12. Chegando a Palmares

Fazia mais de uma semana que Zumbi se deslocava em direção de Palmares. Mais uma longa caminhada e chegou aos contrafortes da Serra da Barriga. Estava exausto, o corpo todo cortado de espinhos. Os pés doíam muito e ele ainda mancava um pouco da perna.

Mas seguia confiante. Tinha quase certeza absoluta de que seus perseguidores haviam desistido de persegui-lo.

Depois do encontro com o feitor Ferreira, Zumbi não viu mais nenhum dos homens comandados pelo capitão do mato. Parecia que haviam desistido de vir atrás dele. Mas, mesmo que continuassem a persegui-lo, não mais os temia. Tinha o facão de folha larga e armas de fogo. Além de Ori, que continuava em sua companhia.

Todo cuidado, porém, era pouco. Estava em terras desconhecidas. Viu trilhas na mata, sinais de acampamentos, com restos de fogueiras. De vez em quando, cruzava com negras carregando cestas e cumbucas e negros com enxadas ao ombro, que o olhavam com desconfiança. Apesar de ser negro também, quem diria que não seria atacado?

Em Porto Calvo, tinha se acostumado a ouvir horrores sobre os habitantes de Palmares. Diziam que os negros fugidos matavam à toa, à toa, as pessoas. Fossem brancas, fossem negras.

— Aqueles bruto num gosta memo de branco. Mais tamém num gosta de nego. Eles só qué matá, cortá co facão — costumava dizer o Ferreira, dirigindo uma advertência aos escravos.

Era mentira dos brancos — pensava Zumbi. Seu tio, o grande Ganga-Zumba, não faria uma coisa dessas. Os negros de Palmares odiavam só os brancos.

Mesmo assim, todo cuidado era pouco. Só se aventurava por alguma trilha quando tinha a certeza de não haver ninguém por ali. Ori seguia à frente, farejando o caminho. Se fosse atacado, o cão, além de avisá-lo, também o protegeria.

Um pouco depois, Ori começou a rosnar, o pelo todo arrepiado. Zumbi parou, ao ouvir ruído de passos, de vozes. Até que se viu cercado por um bando de negros.

Estavam armados com arco e flecha, lanças, porretes, bacamartes, espadas, facões. Alguns se vestiam com gibões[23] de couro, camisas coloridas, outros se cobriam com peles de animais e outros ainda, quase nus, apenas usavam tangas sumárias. Carregavam colares e pulseiras de sementes ou de

[23] Espécie de casaco curto que cobre o peito do pescoço até a cintura.

presas de animais. Havia os que tinham furado os lábios e as orelhas e enfiado nos buracos pedaços de ossos ou mesmo dentes de onça.

Ori continuava rosnando e ameaçou saltar contra um negro que carregava um porrete. Percebendo que, se o cão atacasse, seria massacrado, Zumbi gritou:

— Ori!

Sem parar de rosnar, o cão recuou.

— Quem é tu? — um negro alto e forte, que parecia o líder daquele bando, perguntou.

— Sou Zumbi, sobrinho de Ganga-Zumba e neto de Aqualtune! — disse, estufando o peito.

O negro fixou os olhos em Zumbi e disse de um jeito como se não acreditasse no que ouvia:

— Sobrinho de Ganga-Zumba, é...?

— Isso mesmo. Quero que tu me leve até ele.

— Donde tu tá vino?

— Porto Calvo.

— Nego fugido... — ele murmurou. Em seguida, apontou para as armas e roupas de Zumbi e perguntou: — E isso daí? Donde tu arrumô?

— Tirei dos brancos que me perseguiam — disse com soberba.

— E o cão? Tamém tomô dos branco?

— Tomei, sim, deles. Estavam me perseguindo.

— Quantos branco?

— Eram seis. Matei um...

— Matô memo? — disse o negro, usando de um tom como se não acreditasse no que ele dizia. — Fraquim, fraquim desse jeito e tu matô um branco!?

— Matei. Com uma pedrada.

Os negros começaram a rir.

— Tu então parece memo parente de Ganga-Zumba... — disse o negro forte, que se chamava Vemba.

Fez um gesto largo com o braço e disse:

— Pode vim com a gente. Como é que tu chama memo?

— Zumbi.

O negro apontou para Ori, que continuava rosnando.

— E tu vê se faiz esse bicho ficá quieto. Num gosto de besta rosnando pra mim.

Circundado pelo bando, Zumbi e Ori começaram a subir pelos contrafortes da Serra da Barriga. A escalada foi penosa. Os negros seguiam por uma trilha entre os rochedos que parecia ser conhecida só deles. Em alguns momentos, o caminho permitia a passagem de uma pessoa apenas, que precisava se esgueirar entre paredões.

Zumbi considerou que essa dificuldade de deslocamento era excelente para a defesa. Não seria nada difícil apenas dois homens armados vigiarem a saída daquele labirinto e expulsar possíveis invasores.

Subiram mais e mais até que Zumbi avistou uma paliçada, feita de troncos de árvore e bambu. No alto dela, sentinelas vigiavam.

Um portão se abriu na paliçada, e Zumbi entrou em Palmares. Depois de mais alguns passos, viu uma grande quantidade de choupanas de forma cônica, feitas de fibras e palmas de coqueiro, com uma pequena abertura fazendo de porta.

Entre as habitações, negros armados ou carregando cestos, enxadas, ancinhos passavam e as mulheres cozinhavam em pequenas fogueiras. Crianças nuas brincavam, correndo de um lado para outro ou se rolando na terra com cachorros.

Sempre cercado por sua escolta e olhado com curiosidade pelos habitantes do quilombo, Zumbi atravessou a povoação. Quase ao fim dela, havia uma choupana bem maior. À entrada, fizeram-lhe sinal que parasse. Vemba entrou e se demorou por alguns minutos. Ao retornar, disse para Zumbi:

— Tu pode entrá.

Zumbi pediu um pedaço de corda com o qual prendeu o animal a um dos esteios da choupana.

Era um salão sem divisões internas. Acostumou os olhos à penumbra e viu ao fundo um negro sentado num cadeirão. Ao lado e atrás dele, havia alguns homens de guarda e mulheres conversando, cerzindo roupas, dando de mamar a crianças.

— Tu diz que chama Zumbi? — perguntou o negro do cadeirão.

Zumbi balançou a cabeça confirmando.

— Diz que é neto de Aqualtune e fio de meu irmão Ganga-Zona?

— Sim, sou eu mesmo.

— Donde tu veio?

— Porto Calvo.

— Que tu tava fazeno lá? — Ganga-Zumba perguntou, ainda usando um tom em que havia um pouco de incredulidade.

— Vivendo com os brancos.

Ganga-Zumba mediu Zumbi de alto a baixo.

— Viveno cos branco, é? Antão, tu num pode sê fio de Ganga-Zona. Zona tinha memo um fio pequeno. Mais esse fio morreu num ataque dos branco.

Zumbi resumiu a história de sua vida, procurando não omitir nada. Começou por contar que, em pequeno, havia sido sequestrado em Palmares e levado para Porto Calvo. Lá havia sido adotado por um padre jesuíta. Contou também que havia recebido o batismo cristão com o nome de Francisco.

— Então, tu ganhô nome de branco... — disse Ganga-Zumba com tom zombeteiro. — E o que mais eles fizero pra ti?

Zumbi respondeu:

— Também me ensinaram a ler e a escrever.

— Tu num tinha que prantá? Que coiê? — perguntou Ganga-Zumba, como se não acreditasse no que ouvia.

— Não, só rezar, ajudar a missa. Ensinar os outros negros a ler.

— Rezá, ajudá missa? Tu nunca... tu nunca foi pro tronco?

— Não, padre Antônio me protegia.

— Se tu tinha uma vida boa, pru quê tu fugiu de lá? — perguntou Ganga-Zumba com desconfiança.

— Não sou branco, sou negro.

— Mais tem muto nego que gosta de vivê cos branco. Que gosta inté de parecê que é branco.

Num relance, Zumbi recordou a visita do governador a Porto Calvo. O padre Antônio havia pedido que o garoto lesse um trecho do Velho Testamento. Depois que terminou, o governador bateu palmas e disse: "*Muito me surpreende isto, padre Melo! Como Vossa Reverendíssima conseguiu este milagre de trazer a luz do conhecimento para um ser bruto e inferior como um escravo?*".

— Não sou que nem eles — disse, pensando ainda naquelas palavras que o humilhavam. — Eu não gostava de viver entre os brancos.

— Memo comeno a comida do padre? Memo num teno que trabaiá como escravo?

Sem pensar muito no que falava, Zumbi disse:

— Eu era como um cão.

Ganga-Zumba fez que não ouviu a referência ao cão e perguntou:

— E se tu foi mandado pelos branco pra espiá o quilombo? E dispois...

Zumbi não deixou que Ganga-Zumba terminasse a frase e disse com indignação:

— Vosmecê está pensando que sou um espião? — bateu no peito e concluiu com orgulho: — Sou neto de Aqualtune!

Ganga-Zumba sorriu, mostrando dentes aguçados como os de um animal selvagem:

— É isso que tenho que vê. Tem muto nego por aí mintiroso. Eles vêm pra Palmares, come, bebe do bão, sai com as muié. Dispois vai s'imbora pra contá pros branco do nosso povo...

Ganga-Zumba ficou em silêncio por alguns segundos. Mudando de assunto, comentou:

— Diz Vemba que tu matô um branco. Que robô as arma dos branco. Fala pra mim como que foi.

Zumbi contou de sua fuga desde que havia saído de Porto Calvo, como havia emboscado um branco na floresta e como havia lutado contra o feitor Ferreira. Ganga-Zumba, os olhos arregalados, ouviu tudo com interesse. Deu uma gargalhada ao ouvir sobre o episódio em que Ori tinha atacado o capitão do mato.

— Apois, o bicho danado atacô o branco! E como tu feis pra domá o cão? Diz o Vemba que o bicho é brabo.

— Ah, o cão era muito maltratado pelos brancos. Tratei ele bem, e ele ficou meu amigo.

Parecendo convencido, Ganga-Zumba fez sinal a um homem a seu lado e disse:

— Chama Vemba pra mim.

O negro alto e forte entrou na choupana, veio até Ganga-Zumba, que disse:

— Arranja um lugá pra ele ficá. Dispois, vai precurá Ganga-Zona e diz que o fio dele tá de vorta.

À saída da choupana, Zumbi notou que Ori tinha o pelo arrepiado, babava, rosnava e latia sem parar. Em desespero, esticava a corda ao máximo, tentando atacar um negro que o açulava com um porrete.

— Vem, besta! — dizia o negro com raiva. — Vem, que vô te quebrá!

Ao ver aquilo, Zumbi pegou um pedaço de pau e avançou contra o negro. Deu-lhe uma pancada, e o homem afastou-se, gemendo.

Vemba agarrou o braço de Zumbi, torceu-o, obrigando-o a largar o pedaço de pau.

— Aqui num tem irmão brigano com irmão! — esbravejou.

— Vosmecê não viu o que ele estava fazendo com Ori? — gritou Zumbi, tentando se libertar de Vemba.

— Ori? Ori é uma besta. Tem que obedecê e pará de querê atacá.

— Obedecer desse jeito? Com pancada?

— É uma besta — teimou Vemba.

Zumbi foi até o negro e disse com raiva:

— Se tu bater no meu cão de novo, eu te mato!

— Se tu pensá em matá um irmão, eu te mato primeiro — disse Vemba, ameaçador.

— Vamos ver quem mata quem... — disse Zumbi, indo até o cão e libertando-o da corda.

— Tu é minino ainda e já pensa que é home... — escarneceu Vemba.

— Sou sobrinho de Ganga-Zumba e neto de Aqualtune — tornou a dizer Zumbi, estufando o peito.

Os dois homens se encararam por algum tempo. Até que Vemba deu um sorriso de escárnio:

— Isso nóis vai vê... Tu tem muta coisa que aprendê ainda...

Esta foi a estreia de Zumbi em Palmares. Tinha sido confrontado pelo braço direito de Ganga-Zumba. O grande Vemba era admirado e respeitado por todos. Era o terror dos brancos e já vinha se tornando uma lenda entre os escravos fugidos.

E Zumbi o havia enfrentado. Mas ele não sabia que, defendendo seu cão daquele jeito, tinha ganho alguns pontos com Vemba e mesmo entre os demais negros.

Não demoraria muito, devido a seus feitos, ele se tornaria lugar-tenente[24] de Vemba.

[24] Pessoa que ajuda um chefe e pode mesmo lhe tomar o lugar em sua ausência.

13. Vemba

No fim daquele dia em que conduziu Zumbi até Ganga-Zumba, Vemba foi se banhar numa lagoa que ficava em meio à mata. Quando saiu da água, deitou-se, pôs o braço sob a cabeça e ficou pensando em Zumbi. Ao se lembrar da altivez com que o jovem havia se apresentado, não pôde deixar de sorrir. Que menino mais atrevido! — pensou. Não tinha demonstrado medo algum dos guerreiros.

Mas era disso que gostava. De homens altivos que não se curvavam. E negros assim eram odiados pelos brancos. Além de submeter os escravos, os senhores de engenho queriam que fossem mansos. E muitas vezes conseguiam isso à custa da chibata, do tronco ou de outras torturas muito piores.

Numa ligação natural de reflexões, pôs-se a pensar no tempo em que ainda era livre na África. Ele pertencia a uma tribo de caçadores que vivia no reino de Ngola-Ndongo, numa pequena aldeia, às margens do rio Quvou.

Lembrou-se então de uma caçada que haviam feito a um leão que vinha devorando as reses da tribo. Era um belo animal. Com garras e presas poderosas, costumava, pelas noites, atravessar a cerca de espinhos que protegia o conjunto de malocas para atacar os animais. Isto quando não atacava um ser humano.

Quando a situação se tornou intolerável, Vemba, à frente dos melhores guerreiros, saiu à caça da fera.

Mas o grande leão, conhecido como Owelema, além de cruel, era esperto. Depois de cada ataque, costumava esconder-se nas matas cerradas, em grotas profundas.

Com o tempo, começaram a pensar que ele tinha partes com os demônios da noite. E, assim, ainda mais o temiam. Menos Vemba. Erguendo a lança, costumava dizer:

— Num tenho medo nem do deus da noite e nem dum leão! Sou fio, protegido de Ogum! Minha lança foi forjada na coragem de seu mundo!

Vemba então prometeu a Kulungu, o chefe da sua tribo, que iria matar o leão. Muitos guerreiros torceram o nariz, não acreditando em suas palavras:

— Ninguém pega Owelema!

E ele saiu ao encalço do leão. Mas a fera internou-se na savana. Vemba não desistiu da caçada. Só queria voltar para casa quando tivesse enfiado a ponta da lança no coração do leão. Retornar de mãos abanando seria uma desonra para ele e um desrespeito para seu Deus protetor.

Passou-se uma semana. Onde se encontravam, todo cuidado era pouco. Os arbustos e o capim alto constituíam um ótimo esconderijo para a fera.

E, à medida que caminhavam, Vemba teve a sensação de que, em vez de caçadores, estavam se transformando em presas. De algum lugar, o leão os espreitava, pronto para atacar.

Quando menos esperavam, um dia o leão saltou do meio dos arbustos direto no peito de um dos guerreiros de Vemba. O ataque foi tão brutal e repentino que nada puderam fazer para ajudar o negro, que teve a garganta destroçada.

E o leão desapareceu no meio do capim alto. Tão silencioso como havia vindo.

Outros ataques se sucederam. Sempre silenciosos e brutais.

À noite, faziam fogueiras. Mesmo assim, o leão jamais se intimidava. Atirava-se sobre um corpo adormecido e desaparecia, carregando a sua presa.

Vemba resolveu tomar uma decisão drástica. Ordenou que seus acompanhantes retornassem à vila.

— Mais como? E tu? Tu vai ficá sozinho cum Owelema?

— É isso memo.

— Tu vai morrê, Vemba. Agora que tu tá sozinho...

— Não, sozinho num tô, Ogum me acompanha e protege sempre!

Era essa a ideia de Vemba. Desafiar o leão num duelo. Ele, sua lança e a proteção de Ogum contra as garras e presas do leão. Tinha certeza de que a fera viria confiante demais. Este seria um erro fatal que lhe custaria a vida.

Os guerreiros se foram, e ele prosseguiu. Os ouvidos atentos. Sabia que aqueles olhos amarelos o espreitavam no meio do capim.

Até que um dia notou um movimento quase imperceptível nas altas hastes de capim. Um bando de passarinhos alçou voo. Vemba ajoelhou-se. Fincou o cabo da lança entre as pernas. Com as duas mãos, segurou a arma, apontando para onde viria o ataque.

E Owelema saltou sobre ele. Vemba, com o baque e o peso do leão, caiu de costas. As garras rasgaram seu peito. O animal deu um rugido, mas Vemba soube que era de agonia. A lança tinha aguentado bem o choque, penetrando entre as vértebras da fera, indo direto a seu coração.

Vemba permaneceu algum tempo deitado. Sentia dores horríveis. Não conseguia sequer se mover. Quando, afinal, saiu debaixo do corpo do leão, já era noite. Com enorme esforço, juntou lenha e fez uma fogueira. Não apenas para se aquecer, mas também para afastar as hienas.

Ao amanhecer, ele ficou algum tempo pensativo. Não podia, é claro, levar a carcaça do animal até a vila. Gostaria muito de exibir como troféu o corpo do leão. Como não podia fazer isso, ao menos levaria a pele de Owelema. E, daí por diante, a usaria. Para aterrorizar os demais leões. E também para afastar os inimigos de sua tribo.

Vemba voltou para a vila. Dias e dias caminhou pela savana. Quando se aproximava do rio Quvou, viu colunas de fumaça ao longe. Seu coração bateu apressado. Seria em sua vila?

Era nela mesmo. Quando chegou à vila, deparou com as malocas incendiadas e muitos cadáveres espalhados. Numa delas encontrou o velho Kulungu. Estava moribundo. Ao ver Vemba, deu um sorriso triste e disse numa voz entrecortada:

— Os traficante viero cum pau de fogo... Levaro os guerreiro... as muié... as criança.

Vemba sentiu um baque no peito.

— Kaila? — perguntou.

— Tamém... foi levada...

Não! A sua Kaila! Tinha de resgatá-la. Começou a chorar. Ah, se não tivesse sido tentado pela ambição de pegar o leão! Podia ter lutado ao lado dos seus. Quem sabe, com sua força, não teria ajudado a repelir os traficantes — ele refletiu em agonia.

Procurou rebater a tristeza, pois não tinha tempo a perder. Precisava ainda enterrar os seus mortos. Não iria deixá-los para os abutres e hienas.

Ainda soluçando, pôs os muitos mortos lado a lado numa vala. Reconheceu o rosto de amigos e amigas, um tio, uma tia, primos, primas. Havia de vingá-los.

Enterrado o último corpo, ele orou a Ogum para que bem recebesse o povo da vila em seu reino. Saiu então ao encalço dos traficantes. Após alguns quilômetros de marcha forçada, deu com eles na savana.

Os guerreiros de sua tribo iam presos por libambos, arrastando-se sob as chibatadas. Um ódio irracional subiu à cabeça de Vemba. Sem poder se conter, avançou contra os traficantes. Matou logo de cara dois com a lança.

Investiu contra os demais. Mas os homens, recuperados da surpresa, reagiram. Fazendo uma roda à sua volta, procuravam acertá-lo com porretes e chicotes. Não queriam matá-lo e, sim, apresá-lo. Sua grande estatura e força renderiam um bom dinheiro nos mercados de escravos.

Ficaram nesta brincadeira de gato e rato por um bom tempo. Vemba já mostrava sinais de exaustão. Avançava contra os homens. Estes fingiam fugir, mas se agrupavam para lhe dar porretadas pelas costas e para chicoteá-lo.

Vemba já tinha o corpo todo lanhado. Um de seus braços, deslocado, pendia inerte. Até que uma pancada mais forte lhe acertou a cabeça, e Vemba perdeu os sentidos.

Ao acordar, tentou em vão se erguer. Percebeu que estava com os pulsos presos a um pesado tronco que haviam posto sobre seus ombros.

Para aumentar a sua dor, mais adiante viu a querida Kaila morrer de maus tratos, de dor e inanição.

E assim foi embarcado num tumbeiro num porto de escravos em Luanda. Após a longa travessia, chegou ao Brasil. Durante algum tempo, permaneceu encarcerado. Os traficantes queriam que ele recuperasse a força física para vendê-lo por um bom preço.

Foi vendido para um senhor de engenho chamado Antônio Silveira. Mas, se o senhor de engenho achava que tinha feito um excelente negócio, comprando um negro tão forte, logo veio a perceber que isso era um problema. Vemba, mal chegou à propriedade, recusou-se a trabalhar. Não bastasse isso, ainda que estivesse com correntes, avançou contra o feitor e quase o matou com uma cabeçada.

Mesmo sendo chicoteado e posto dias e dias no tronco, continuava resistindo. Ficou quase uma semana sem comer. Só de vez em quando lhe davam um pouco de água, para que não morresse de vez. Rangendo os dentes de ódio, Antônio Silveira bradava:

— Só não mato este vagabundo pra não perder dinheiro!

— Marca ele com ferro em brasa, patrão! — disse o feitor Ângelo Dias.

— Marca ele, que vamo vê se num trabaia.

Veio o ferro em brasa e queimaram uma das nádegas de Vemba, que deu um uivo prolongado e desmaiou.

— Quando ele acordar — disse Antônio Silveira —, se continuar teimoso, queima ele de novo.

À noite, Vemba acordou com alguém que lhe levava uma cumbuca de água aos lábios rachados. Bebeu com sofreguidão. A mesma mão caridosa deu-lhe um pouco de papa de milho e disse baixinho:

— Tu num deve de fazê isso...

Vemba permaneceu em silêncio.

— Se tu faiz isso, tu morre — tornou a dizer o homem.

— Eu quero morrê.

— Morrê? — Vemba ouviu uma risadinha. — Morrê pra quê?

O homem e Vemba ficaram em silêncio por algum tempo.

— Quem que tu é? — perguntou Vemba.

— Eu sô Kasoma. E tu?

— Vemba.

— Apois, Vemba. O mió é tu fingi que tu qué trabaiá.

— Num quero trabaiá.

— Aqui num tem querê — Kasoma deu outra risadinha. — Teu dono te comprô. Tu faiz o que ele qué.

— Num tenho dono.

— Nego teimoso. Ansin tu vai morrê. O mio é tu fingi que tem dono. Trabaiá bastante. Despois, um dia, tu foge. Tem muto nego fujão.

— Adonde os nego fujão vai?

— Pra Palmares, na Serra da Barriga.

— O que tem lá?

— Um reino só de nego fujão. E tem um rei tamém. O grande Ganga--Zumba.

— E pru quê tu num fugiu pra lá?

— Pruquê tô muto veio... Mais tu é novo e forte. Em Palmares, tão percisano de guerrero que nem tu.

Tendo dito isso, Kasoma se levantou e desapareceu na escuridão.

Vemba, o corpo todo dolorido, a sede e a fome parcialmente mitigadas, começou a pensar no que o velho homem tinha dito. Se continuasse com sua teimosia, era um homem morto.

Viver para quê? — ele refletiu com tristeza. Havia perdido os seus, perdido Kaila.

Mas não queria morrer. Queria vingar-se daqueles brancos. E para isso teria que fingir que não mais ia resistir.

No outro dia pela manhã, o feitor se aproximou. Levantando sua cabeça com o cabo do chicote, perguntou se ia continuar se negando a trabalhar. Vemba balançou a cabeça. O feitor abriu um sorriso:

— Ah! Antão, tu num qué morrê...

Ele mandou que uma escrava servisse água e restos de comida numa gamela.

Alguns dias depois, Vemba estava de pé. Por precaução, ainda preso a correntes. Puseram-no então para ajudar uma mula a mover a grande roda da moenda de cana-de-açúcar.

Quando defrontava o feitor, ficava de cabeça baixa. O homem encostava o cabo do chicote em seu queixo e dizia:

— Tá veno, nego safado?! Se num trabaiá dereito, vai pro tronco!

E assim Vemba se acostumou à dura rotina. Uns tempos depois, estava na colheita de cana. Sempre preso com correntes, mesmo assim trabalhava por dois. Havia recuperado as forças de vez.

Espantado, o patrão gostava de olhar aquele negro erguendo fardos pesadíssimos nos ombros. Então, exclamava, todo cheio de si:

— Fiz mesmo um bom negócio! Um negro desse vale ouro!

E Vemba, obedecendo sem reclamar, trabalhando de sol a sol. Até que resolveram lhe tirar as correntes que dificultavam seus movimentos.

— Tira os ferros dele — ordenou o patrão ao feitor.

— Mais, patrão... O nego pode...

— Conheço os negros. Um bom tronco acaba com a soberba. Pode tirar as correntes, que agora ele não vai mais abusar.

As correntes foram tiradas de Vemba. Ele contemplou os pulsos e tornozelos com grandes chagas. Era um alívio sentir-se livre dos ferros.

— Ah, então tu num qué memo morrê... — era Kasoma, que levava água para os trabalhadores.

Vemba deu de ombros e disse:

— Não, num quero morrê.

— Antão, continua ansim. Trabaiando... Um dia, tu pode... — Kasoma não concluiu a frase porque o feitor se aproximava.

Vemba sorriu. Kasoma tinha razão. Agora podia pensar em fugir.

Numa noite, ele se ergueu silenciosamente de sua enxerga. Também silenciosamente, deslizou na noite. Foi até onde dormia o feitor. O homem nem despertou quando estrangulado pelo braço de Vemba.

Ele saiu do cômodo e começou a caminhar. Atravessou o pasto, passando por entre as reses. Um pouco mais, estava num descampado. Ao longe, iluminados pela lua, brilhavam os picos da Serra da Barriga.

Dentro de uns dias, Vemba seria mais um guerreiro de Ganga-Zumba.

Vemba despertou daquelas reflexões. A maioria era muito dolorosa. Lembrava-se com nitidez da aldeia natal e das pessoas que amava. Sobretudo da linda Kaila. Mas isso era passado, e ele queria agora só pensar no presente. Um presente grandioso em que todos os negros seriam livres.

Sonhava que, um dia, haveria um poderoso reino de negros. Que apavoraria os brancos. Que conquistaria cada vez mais territórios. Um reino onde não haveria negros submissos. Um reino onde todos seriam iguais.

14. Assédio

Zaila e Kênia acabaram se acostumando com a rotina da fazenda. Era uma vida de muito trabalho e sofrimento. Logo perceberam que não havia grande diferença entre o trabalho no campo e o na casa-grande.

Na plantação, o feitor Silvério trazia os escravos sob o chicote para que produzissem mais e mais. Mas, dentro de casa, a história não era diferente. Com um prazer sádico, Eufêmia batia nas negras, quando achava que algo estava errado. Só de ver que a carne não estava do jeito de que mais gostava, jogava a panela quente na cabeça, nas costas de quem estivesse por perto.

Ou então, por sadismo, dava pancadas com uma bengala nas pernas das escravas que varriam os cômodos ou arrumavam as camas:

— Toma aí, vadia!

Tanto Zaila quanto Kênia já traziam o corpo cheio de manchas roxas e feridas. O resultado da fúria da patroa. Era uma criatura de gênio ruim. Vivia nervosa, irritadiça. Mesmo o marido tratava mal, debochando dele, insultando-o.

A única pessoa de quem parecia gostar era o Patrãozinho. Ao ver o filho entrar em casa, bamboleando o corpanzil, derretia-se toda:

— Ai, Joãozito da minha alma! Donde tu está vindo assim todo suado? Não quer que eu mande uma negra trazer uma bacia de água limpa?

E o Patrãozinho continuava a se servir de Zaila. Quase todas as noites, ia até a senzala à procura dela. Sem uma única palavra de afeto, a atacava como um selvagem. Às vezes, chegava mesmo até a mordê-la. O choro da escrava machucada parecia excitá-lo ainda mais.

Até que um acidente fez com que ele a deixasse em paz. Aconteceu que, um dia, Zaila estava carregando um cesto de frutas e legumes. Quando cruzava o pátio para ir até a casa-grande, escorregou e derrubou tudo no chão.

Furioso, o Beato cresceu sobre ela e deu-lhe uma pancada com o porrete na nuca, enquanto berrava:

— Nega desmazelada! Viu o que feiz?

Perdendo o equilíbrio, Zaila caiu com a perna sobre um machado. A afiada lâmina rasgou a pele, os músculos até atingir a tíbia. Ela deu um berro de dor e desmaiou. Socorrida pela Ângela e outros escravos, foi levada para a senzala. Lá, tentaram estancar o sangue e medicar a ferida.

Kênia, ao lado da mãe, chorava, tentando consolá-la:

— Mamãe... Mamãe...

Fizeram-lhe um curativo com ervas. Mas, dias depois, a ferida ficou escura, com as bordas cheias de pus. Com febre alta, Zaila permanecia desacordada e delirando.

Os patrões, temendo perder a escrava, mandaram chamar um médico da vila mais próxima. Após examinar superficialmente o ferimento, o homem disse, curto e grosso:

— Vai ter que cortar a perna.

E Zaila teve a perna cortada. O médico duvidava que ela se recuperasse porque a febre não queria baixar. Mas como Zaila fosse forte, conseguiu reagir e sobreviveu.

Kênia, quando podia, estava ao lado da mãe, alimentando-a, lavando o coto da perna. Umas semanas depois, Zaila se levantou. As amigas tinham improvisado um par de muletas. Voluntariosa, reaprendeu a andar. E apesar da limitação do movimento e das dores, logo estava se entregando às atividades.

A primeira vez que Eufêmia a viu na cozinha trabalhando, não pôde deixar de dizer:

— Só me faltava essa. Agora tenho uma escrava aleijada!

Mas ela preferia uma Zaila aleijada a outra negra qualquer na cozinha. No fundo de si, reconhecia que a escrava tinha boa mão para seus pratos preferidos.

E Zaila então continuou sua vida de muito trabalho e aflição. O que lhe servia de consolo era que o Patrãozinho deixou de assediá-la.

— Vô lá querê nega estrompada! — dizia com desprezo.

Estava agora interessado numa outra escrava recém-adquirida. Não se comparava à Zaila. Mas, aos olhos dele, pelo menos, estava inteira.

Contudo, logo se desinteressou da nova escrava. Para grande desgosto e preocupação de Zaila, ela veio a perceber que ele estava de olho era em Kênia.

A menina tinha crescido, ganhava corpo. Tinha herdado dela os belos olhos, seios e coxas firmes.

O feitor Silvério passou a lhe lançar olhares gulosos, dizendo:

— Hum, a frutinha tá ficano madura. Deixa o Patrãozinho sabê disso...

O desespero de Zaila começou a crescer. Não queria que aquele bruto fizesse mal à filha. Mas o que ela podia fazer? Se o Patrãozinho resolvesse assediar Kênia, não havia como evitar. Ela sabia que os brancos podiam fazer com os negros o que bem entendessem. Os escravos não tinham ninguém por eles. A não ser os velhos deuses, a quem rezavam nas horas de maior aflição.

À noite, Zaila permanecia acordada, chorando baixinho. Kênia ressonava a seu lado. Zaila, ao mesmo tempo, orava aos deuses angolanos, como Obá, e ao deus cristão. Implorava que protegessem a filha inocente.

E a sombra daquele homem continuava a atormentá-la. Zaila lamentava-se daquele incidente com a perna. Se estivesse inteira, o Patrãozinho continuaria a assediá-la. E, com isso, talvez deixasse de importunar Kênia.

Zaila procurava se aconselhar com Ângela:

— O que que eu faço? Uma hora, ele vai fazê mal pra minha Kênia.

Ângela dizia, com mágoa na voz.

— Isso memo... E só tem um jeito...

Zaila lançou os olhos esperançosos para Ângela.

— Que jeito?

— Só se a minina fugi daqui...

— Fugi daqui? Mais como? É uma criança...

Até que uma noite, Kênia resolveu dormir a seu lado. Quase de madrugada, Zaila teve que deixar a enxerga para fazer as necessidades no mato. Quando voltou, ouviu gemidos e um ruído de choro que reconheceu como da filha. Ao mesmo tempo, escutou também a voz desagradável do Patrãozinho que dizia:

— Fica quieta, minina. Tua hora chegô!

Não! Aquele monstro estava estuprando a Kênia! — gemeu Zaila, tomada totalmente pelo desespero. Deslocando-se o mais rápido possível, chegou à enxerga onde dormiam. Para seu horror, constatou que o Patrãozinho estava sobre a filha. A menina procurava resistir, mas o que podia fazer contra aquele homem grande e forte?

Zaila não pensou duas vezes. Apoiou-se num dos esteios da habitação com a mão esquerda. E com a mão direita, ergueu a muleta e deu com ela na cabeça do Patrãozinho. O homem berrou de dor, acordando os negros da senzala, que vieram correndo ver o que estava acontecendo.

Como o Patrãozinho tentava se erguer, Zaila, cheia de fúria, acertou outras pancadas na cabeça dele.

Ângela chegou com uma lamparina de óleo. Ao ver o Patrãozinho espojado no chão e sangrando muito, exclamou:

— O que tu foi fazê, muié!?

Abraçada a Kênia e sempre chorando, Zaila disse com dificuldade:

— Ele... ele tava fazeno mal pra minha minina...

Curiosos, os negros cercavam as mulheres, murmurando:

— Shiii... a coisa vai ficá feia. Essa eles num vai perdoá!

— Pió se ela matô o Pratrãozinho!

Ângela foi logo dizendo:

— Arreda daí! Vamo pará de falá bobage!

Os negros calaram-se.

— Bão — disse Ângela, dando outra olhada na cabeça do Patrãozinho, que sangrava bastante. — O que tá feito tá feito. Agora, tu e tua fia num pode mais ficá aqui. Tem que i s'imbora.

— Como i s'imbora? — perguntou Zaila, aflita.

— Sumi daqui da fazenda. S'infiá nesses mato, muié.

— Mais como pudemo fazê isso? Com a minha perna aleijada?

Ângela deu um suspiro e disse com autoridade:

— Mais a minina num tem probrema. Ela pode i.

Kênia chorou desesperada:

— Não, num vô deixá minha mãe aqui.

Zaila pegou a filha, sacudiu-a e disse:

— Eu já num presto pra mais nada. Mais tu inda é nova.

Ângela levantou-se e foi até a casa-grande. Logo voltava com um alforje e uma cumbuca tapada.

— Óia. Aqui tem paçoca de carne e farinha. E leite na cumbuca.

— E ela vai como nesse mundo de Deus? — choramingou Zaila, já pensando nas dificuldades que a filha ia encontrar pelo caminho. — Num vai dá. Ela vai se perdê nessa escuridão.

— O que ela num pode é ficá aqui. Os patrão vai querê castigá ela.

Ela voltou-se para Kênia e disse:

— Tu já viu aquelas montanha adonde o sol nasce? É pra lá que tu tem que i. Tem uma tria no mato aí atrais. Tu anda ela, passa pelo rio. Dispois, vai pelo pasto. Sempre em frente.

A menina, os olhos apavorados, balançava a cabeça, dizendo que sim.

— Dois, treis dia andano e tu chega no quilombo.

— Mais ela é piquena, num sabe... — interveio Zaila, em desespero.

— Piquena? Ela já tá uma moça. E, dispois, ela num é boba, não. A Kênia é muto esperta.

Kênia abraçou-se à mãe:

— Mamãe, num quero i. Num quero te deixá aqui.

Ângela contemplou mãe e filha abraçadas. Sabia o que esperava Zaila. Seria chicoteada no tronco. E como era inválida, talvez fosse mesmo enforcada. E ela imaginava o sofrimento de Kênia ao contemplar o castigo e a morte da mãe.

— O sol já vai nascê, minina. É mió tu i s'imbora — disse, puxando Kênia pelo braço.

Zaila tirou um colar com a tosca imagem de uma deusa e o colocou no pescoço da filha:

— Pra Obá ti protegê.

As duas se apertaram num longo abraço. Zaila beijou a filha repetidas vezes.

— Vamo! Sinão fica tarde — disse Ângela.

Sempre chorando, Kênia foi conduzida por Ângela até onde começava a trilha que cortava a mata. Ela abraçou com força a menina e disse:

— Obá vai te acompanhá e te protegê, meu bem.

— E mamãe?

— Pode deixá que vô cuidá dela.

— Mais... mais, eles num vai fazê mal pra ela?

— Ela vai pro tronco — mentiu Ângela. — Só vai recebê umas chicotada do porco do Beato.

— E o Patrãozinho?

Ângela balançou a cabeça.

— Num foi nada não. Logo ele tá bom de novo pra dá em cima das nega.

Como Kênia continuasse parada, disse com impaciência:

— Vai s'imbora, minha fia. O dia já tá nasceno.

Sem para de chorar, Kênia deu-lhe as costas e começou a correr pela trilha. Ia cheia de dor e de mágoa, com o pressentimento de que jamais veria a mãe com vida outra vez.

15. Um novo capitão

O encontro entre Zumbi e seu pai não prosperou. Ganga-Zona nunca tinha mostrado amor pelo filho. E nem tinha dado pela falta dele quando os brancos o haviam levado. De maneira que, quando apresentado a Zumbi, disse com indiferença:

— Antão, tu diz que é meu fio...

— Não estou dizendo. Sou filho de vosmecê — rebateu Zumbi com arrogância.

Ganga-Zona olhou para o jovem que falava com tanta soberba. Isso que dava ficar entre os brancos — pensou com rancor. Era um negro que mais parecia branco.

— Num acho — rosnou Zona com desprezo. — Num sei que que tu vem fazê aqui. Mió se tivesse ficado cos branco.

Por que precisava de um pai? — pensou Zumbi. Não era livre? Não sabia o que queria? Não, não precisava de um pai. Zumbi deu as costas para Ganga-Zona e deixou a maloca.

**

Dentro de pouco tempo, Zumbi pôde mostrar toda sua utilidade a Ganga-Zumba. Como soubesse ler e escrever, era sempre chamado para decifrar algum documento ou mesmo para fazer contas. Coisa mais comum era um negociante branco querer trapacear nos números, quando fazia negócios com os negros de Palmares.

— Não, não, está tudo errado! — ele dizia para José Melchiades, um vendedor de roupas e tecidos, conhecido pela esperteza. — Vosmecê não fez as contas direito.

Melchiades estava acostumado a negociar com negros analfabetos e que não sabiam contar direito. Por isso mesmo, dizia com desconfiança:

— Mais quem é tu? Queria falá com Okolu.

— Sou Zumbi — disse, para depois completar: — Não, vosmecê não pode mais falar com ele.

— Pru quê num posso mais falá com Okolu?

— Porque Okolu não sabe contar.

— E vai me falá que tu sabe...? — dizia Melchiades, com desprezo. Para ele os negros eram todos iguais. Ingênuos e ignorantes, bons para serem trapaceados.

E começavam uma longa negociação. Melchiades fez de tudo para ludibriar Zumbi, ou para vencê-lo pelo cansaço. Mas foi em vão. Enquanto o negociante, muito impetuoso, se fiava tão só em sua esperteza, o jovem tinha paciência e sabia ler e contar. Por fim, Melchiades, a contragosto, teve que ceder.

— Tá bão! Tá bão! Sei que tô seno robado, mais fica ansim. Cento e setenta peça de ropa...

— Cento e oitenta e cinco.

Em Palmares, praticava-se o escambo, ou seja, a troca de mercadorias por produtos. Os negros costumavam oferecer legumes, carnes de caça, pescados, cestos de embira, peças de cerâmica, peles de animais. Mas os produtos mais valorizados pelos brancos eram os que resultavam da mineração. Pedras preciosas e pepitas de ouro eram muito cobiçadas e tinham grande valor de troca.

Ganga-Zumba logo reconheceu que a vinda de Zumbi para Palmares tinha sido mesmo providencial. Os negociantes deixaram de passar a perna nos negros. Melchiades era um deles. E o homem tinha ficado bastante aborrecido. Costumava dizer para os tropeiros que encontrava no caminho:

— Apois te digo, amigo Mendes... Toma cuidado que agora tem no quilombo um negrim danado de esperto. O diabim sabe das letra e das conta. Inté me passô a perna.

Logo Zumbi também começou a participar das escaramuças dos negros. Em Palmares, de vez em quando, sem muita ordem ou estratégia, eles combinavam um ataque a um engenho. E lá se iam num grupo sob o comando de Vemba.

Como não planejassem nada, às vezes atacavam uma propriedade que já havia sido atacada na semana anterior. De maneira que voltavam com as mãos abanando. Outras vezes, por não enviarem espiões, eram surpreendidos por um grupo armado que os repelia, cansando-lhes baixas.

Mesmo não concordando com as decisões tomadas por Vemba, Zumbi continuava em sua tropa. Gostava dele. Admirava sua coragem, sua determinação, sua lealdade.

Mas, ao ver o comportamento do chefe, não podia deixar de esconder a raiva. Sua impulsividade punha tudo a perder. Por que não chegar a uma fazenda furtivamente? Não, Vemba fazia questão de que se aproximassem da propriedade com gritos de guerra! O resultado é que nunca encontravam os brancos desprevenidos.

Até que um incidente veio mudar tudo. Numa das escaramuças, por imprudência de Vemba, o grupo caiu numa armadilha. Foram cercados por uma tropa bem armada que os acuou. Refugiando-se numa cova, resistiram bravamente. Mas os inimigos começaram a ganhar terreno.

Zumbi viu que a situação deles era desesperadora. Um a um os negros eram abatidos ou presos. No fim, só restavam os dois. Os homens da tropa ainda não ousavam acossá-los porque a boca da cova era bem estreita. E lá de dentro eles faziam disparos certeiros.

Foi então que Zumbi viu, no fundo da cova, uma pequena abertura.

— Por ali! Vamos — gritou para Vemba.

— Vamo coisa ninhuma. Nóis vai é acabá com esses branco!

— Vosmecê está querendo morrer, é? Pois eu não quero. Vamos!

Convencido, Vemba, esgueirou-se pela abertura. Mas do outro lado, para sua surpresa, dois homens o aguardavam. Um deles, aproveitando-se de que o negro rastejava, pôs-lhe uma corda no pescoço e a puxou com força.

Com o corpo preso entre as rochas e quase sem poder respirar, Vemba, em desespero, tentava escapar do laço que o sufocava. Quando seu corpo foi arrastado para outra passagem, começaram a bater nele com porretes. Mas os dois homens não contavam com Zumbi. Ele aproximou-se de maneira furtiva, armado com um facão. Abateu o inimigo mais próximo. O segundo recuou e tentou puxar a espada. Zumbi não lhe deu tempo e também o derrubou.

Começaram a subir a encosta. Dando conta que um bando os seguia, Zumbi virou o bacamarte para trás e disparou. Os homens se dispersaram, mas logo se reagruparam.

Continuaram a subir, sempre perseguidos pela tropa. Até que Vemba viu uma grande rocha. Apoiando o ombro nela, disse a Zumbi:

— Me ajuda. Vamo mandá esses branco pro inferno!

Graças a sua força descomunal e ao auxílio de Zumbi, Vemba foi deslocando a rocha pouco a pouco. E quando ela rolou a encosta, levando tudo em seu caminho, eles puderam ouvir com satisfação os gritos de agonia de seus perseguidores.

E assim conseguiram se livrar da tropa. Mas a que custo! Salvo Vemba e Zumbi, os demais tinham sido mortos ou presos pelos brancos.

A caminho de Palmares, Vemba permanecia quieto. Toda sua impulsividade havia levado à perda de seus comandados! — refletiu, envergonhado. Não fosse Zumbi, nem eles teriam sobrevivido.

— Tu tinha rezão... — afinal, Vemba quebrou o silêncio.

Zumbi nada disse.

— Tu tinha memo rezão... — insistiu Vemba. — Devia de tê escuitado o que tu falô.

— Água passada não move moinho — disse Zumbi, lembrando-se de um dos provérbios que o padre Antônio costumava dizer.

— Mais eu fiz bestera. Num fosse tu, tava eu tamém preso ou matado.

Zumbi continuou calado. Não queria deixar o companheiro mais envergonhado do que já estava. Sabia que Vemba era imprudente, contudo não podia negar que tinha coragem.

— Qué sabê uma coisa? — Vemba tornou a falar. — Agora, vô sempre te escuitá. Tu vai sê meu Capitão.

— Que é isso, Vemba? Não quero ser chefe de ninguém. Inda mais de vosmecê.

— Pois te digo. Tu vai sê meu chefe. O Capitão. E vô te obedecê. E vô batê nos nego que num te obedecê!

Zumbi começou a rir do jeito que ele se expressava. Onde se viu ele, um jovem ainda, mandando no grande Vemba?

— Tu tá rino do quê? — Vemba fechou a cara.

Zumbi notou que ele ficava ainda mais assustador com aquela expressão. Será que ia atacá-lo? Mas não. Depondo as armas, Vemba ajoelhou-se e disse com cerimônia:

— Pois, eu te digo. Dês hoje, te devo a vida. Tu é meu Capitão. O que tu mandá, Vemba faiz.

Zumbi pegou-o pelo braço.

— Levanta, Vemba. Tu é meu irmão.

— Eu já era teu irmão — disse Vemba, pondo-se de pé. — Mais agora tu tamém é meu Capitão!

E desde aquele dia, Zumbi tornou-se o Capitão da tropa, e Vemba, seu lugar-tenente.

As coisas então começaram a mudar. Quando os negros iam fazer seus ataques, antes de tudo, Zumbi planejava a ação. Mandava na frente espias para ver se o engenho estava bem protegido. Estudava também os caminhos, as rotas de fuga. Fazia uma inspeção rigorosa do armamento e organizava o bando como se fosse um pequeno exército.

De início, encontrou resistências, porque os negros estavam acostumados a agir sem organização alguma. Acreditavam que a força bruta, a impulsividade bastavam para desbaratar as forças dos brancos. Mas as intervenções de Vemba, batendo nos que eram mais teimosos, logo puseram fim à rebeldia. E assim todos eram obrigados a se curvar diante de Zumbi.

A eficácia das ações de Zumbi logo veio a se confirmar. Nas novas investidas sob seu comando, os negros sempre voltavam com um grande butim[25]. Eram sacos de açúcar, de feijão, de melaço, dinheiro, pepitas de ouro, utensílios, armas e escravos que logo se tornavam libertos.

Para evitar que fossem saqueados, donos de engenhos e propriedades procuraram entrar em acordo com Zumbi.

Quando um dos negros inventava de invadir uma propriedade, primeiro tinha de consultar Zumbi.

— Não, não mexe com o pessoal da Fazenda do Carmo. O homem pagou imposto pra gente.

A partir de então, o nome de Zumbi passou a ser bem conhecido. Entre os negros e entre os brancos. Tão conhecido como o de Ganga-Zumba.

[25] Conjunto de bens materiais e de escravos, ou prisioneiros, que se toma do inimigo no curso de um ataque, de uma batalha, de uma guerra.

16. As batalhas

A partir do momento em que Ganga-Zumba delegou de vez o poder militar a Zumbi, houve muitas batalhas entre os negros e os brancos. As autoridades, preocupadas com a crescente expansão do quilombo, queriam destruir Palmares a todo custo.

Não era para menos. O conjunto de mocambos dos quilombolas contava, em 1670, com mais de vinte mil escravos libertos. Era um péssimo exemplo para os escravos. Não bastasse a ameaça dos negros quererem fugir, eram frequentes as pilhagens a propriedades dos brancos.

Por isso, as autoridades deram início a ataques mais organizados a Palmares. Em 1674, foi enviada pelo então governador da província de Pernambuco, Pedro de Almeida, uma expedição contra o quilombo.

Nessa altura, Palmares era uma vila quase inexpugnável. Sua situação no alto da Serra da Barriga e o difícil acesso a ela tornavam os ataques difíceis. As forças portuguesas tinham de passar por matas fechadas e escalar terrenos cheios de rochedos, antes de enfrentar os negros bem armados atrás de paliçadas.

Zumbi, muito previdente, por meio de espias, ficou sabendo quando chegariam os invasores. Dispôs, então, no meio das matas, atiradores providos de arco, flecha, zarabatanas[26], que deviam atirar e fugir. Aconteceram muitas baixas entre as forças portuguesas graças a esse estratagema. E assim esta primeira expedição fracassou.

Mas a coisa começou a ficar complicada quando o sargento-mor Manuel Lopes retornou a Palmares no ano seguinte. Vinha com um exército mais numeroso e muito bem armado. De início, teve sucesso, ocupando um dos mocambos de Palmares, matando e capturando negros.

Na batalhas, as tropas portuguesas fizeram muitos prisioneiros. Entre eles, netos e sobrinhos de Ganga-Zumba, além de dois filhos seus, Zambi e Acaiene. Mas o que mais doeu no coração de Ganga-Zumba foi saber que seu primogênito, Toculo, havia sido morto na luta.

Nessa ocasião, Zumbi, ao contrário de outros guerreiros, que queriam vingar seu rei, achou prudente recuar. Isso foi motivo de tanta discórdia que ele foi chamado por Ganga-Zumba para uma conversa.

— Vinhero me falá que tu num qué mais atacá os branco — disse Ganga-Zumba, com a voz cheia de ódio.

[26] Arma que consiste de um tubo por onde se sopram dardos envenenados.

— Não é que não quero atacar — explicou Zumbi. — Eles estão muito fortes agora.

— E nóis num tá forte? E a nossa gente num pode mais contra os branco?

— Não, não pode — disse Zumbi com convicção. — Se vosmecê teimar em atacar, os brancos vão acabar com nosso povo.

— Antão, o que tu vai fazê?

— Esperar.

— Esperá o quê?

Zumbi respirou fundo e explicou sua estratégia:

— Eles estão pensando que Palmares vai se render. Só porque ganharam uma batalha. É bom o povo daqui fingir de morto. Quando os brancos estiverem esperando a rendição, atacamos.

Ganga-Zumba refletiu por uns minutos. Segurando a raiva, chegou à conclusão de que Zumbi tinha razão. Não havia como enfrentar os brancos naquele instante. Faltavam armas e munição. Era melhor mesmo esperar.

— Tá bão, tá bão. Vamo esperá. Mais não por muto tempo. Os irmão tá ficano nervoso.

Dada a autorização de Ganga-Zumba, Zumbi conseguiu segurar o ímpeto dos quilombolas. Como não podia deixar de ser, Vemba era dos mais exaltados. Queria porque queria atacar o acampamento dos brancos de peito aberto.

— Vamo lá, meu Capitão! Vamo atacá os branco! A gente num ataca, eles fica pensano que semo fraco.

— Calma, Vemba, calma. Deixa os brancos pensar que somos fracos. Logo, logo, eles vão ver quem é que fraco.

Já haviam passado quase cinco meses depois daquele grande ataque dos brancos. De vez em quando, aconteciam algumas pequenas escaramuças.

Zumbi ordenava um ataque de surpresa, com a rápida retirada dos negros. Ou então, mandava desocupar mocambos próximos à serra, retirando os habitantes e incendiando as malocas.

Quando percebeu que os brancos andavam relaxando na segurança, Zumbi decidiu que havia chegado a hora de um ataque de verdade. Ordenou que uma coluna chefiada por Vemba se deslocasse à esquerda do mocambo onde ficavam as tropas inimigas.

Instruiu os guerreiros a fustigarem os brancos e, logo em seguida, fugirem para o morro do Abrigo, cujo acesso era dos mais difíceis. Lá, onde já tinham estocado muitas armas e provisões, eles deviam se entrincheirar e resistir ao máximo ao assédio dos inimigos.

Os portugueses morderam a isca. Ao serem atacados, logo rechaçaram os inimigos. E depois se puseram a perseguir a coluna de negros com um bom número de soldados até o morro do Abrigo. Abrigados, os negros atacavam os portugueses não só com flechas e armas de fogo, mas, sobretudo, com pedras atiradas das alturas.

As forças comandadas por Zumbi dirigiram-se durante a noite para o mocambo tomado pelos brancos. Pegos de surpresa, os portugueses, em menor número, viram-se em meio a uma luta feroz. O resultado é que foram obrigados a fugir.

No caminho, deram de encontro com os outros soldados que ainda combatiam os negros no morro do Abrigo. Vendo-se entre dois fogos, as forças portuguesas tiveram que se retirar para Recife.

A volta vitoriosa de Zumbi para Palmares foi triunfal. Não houve quem não celebrasse seu gênio de estrategista.

Ganga-Zumba o presenteou com uma maloca. Lá ele vivia com suas mulheres e recebia seus guerreiros para audiências. Mas Zumbi não contestava o poder de Ganga-Zumba. Nunca faria uma coisa dessas. E nem precisava disso, porque era muito respeitado. Apesar de não ser rei de Palmares.

Mas nessa época em que assumiu quase que de vez a liderança entre os guerreiros, uma coisa vinha deixando Zumbi preocupado. Era que adquirir armas em bom estado e pólvora estava sendo muito difícil. E sem armas e sem pólvora, seria impossível combater as forças portuguesas.

Nos últimos tempos, cada nova força que vinha combatê-los aparecia mais bem armada que a outra. Se os negros tinham vencido todas as batalhas até então, isso era à custa de grandes baixas. Sem contar que, nas investidas dos brancos, plantações eram destruídas e o gado roubado. Além disso, as armas de fogo que possuíam vinham se estragando e a pólvora estava no fim.

Desse modo, Zumbi não compartilhava do sentimento de exaltação de Ganga-Zumba e Vemba. Eles pareciam cegos para a situação quase crítica em que se encontravam. Se os portugueses mandassem uma força maior, equipada com canhões, não haveria estratégia que funcionasse. Os negros seriam derrotados e condenados outra vez à escravidão.

Zumbi procurou afastar esse pensamento negativo. Refletiu que era preciso reforçar ainda mais as defesas de Palmares. Para começar, pensou que deveriam evacuar todos os mocambos que ficavam fora das paliçadas. Não tinham como protegê-los. Para sua defesa, os mocambos exigiam a divisão das forças, o que era péssimo para os negros e bom para os inimigos.

E assim foi que, sob o protesto dos moradores, os mocambos foram evacuados. Não bastasse isso, Zumbi ordenou que fossem incendiados, o gado recolhido, a água potável envenenada, e as plantações destruídas. Quando os inimigos chegassem por ali, não teriam uma base de apoio como da última vez.

17. Um encontro na mata

Para prevenir novos ataques dos brancos, Zumbi ordenava que grupos de guerreiros vasculhassem os arredores de Palmares. De vez em quando, seus homens surpreendiam estanhos nas proximidades. Grupos formados de dez, quinze homens, que atacavam os mocambos, para capturar escravos fugidos ou mesmo para saquear.

E, com esta estratégia de Zumbi, os quilombolas desbaratavam o inimigo, prendendo ou matando os soldados e tomando-lhe as armas. Era também um jeito de mandar um recado aos brancos, para mostrar que Palmares não era mais constituída de um bando de negros sem organização alguma. Agora, quem tentasse invadir o quilombo ia encontrar forças bem armadas e alertas.

Foi então que um dia um grupo de negros que fazia uma vigilância de rotina nos arredores de Palmares teve uma surpresa. Sob o comando de Vemba, eles tinham penetrado numa mata. É que haviam sido atraídos por urubus que voavam baixo, um pouco acima da copa das árvores.

— Deve de sê a carcaça de argum bicho — disse o negro.

Mas podia ser outra coisa — ele pensou. Às vezes, chegavam mesmo a encontrar escravos fugidos. Se a pessoa estivesse morta, enterravam, se estivesse viva, socorriam.

No meio da mata, Vemba deparou com o corpo de uma menina. Deitada de costas, os olhos fechados, tinha muitas escoriações e as vestes todas rasgadas.

Num primeiro momento, pensou que estivesse morta. Mas, chegando mais perto e ajoelhando-se, viu que ela respirava. Vemba pegou uma bolsa de couro com água e ergueu a cabeça da menina. Forçando seus lábios, fez com que ela bebesse algumas gotas.

A menina era osso e pele e tinha os lábios rachados. Seus braços, pernas e rosto mostravam chagas e estavam cortados por espinhos.

Ela abriu os olhos e, ao dar com Vemba, soltou um grito agudo.

— Num percisa ficá sustada — disse Vemba. — Nóis vinhemo te ajudá.

A menina começou a chorar, sacudindo o corpo franzino.

— Como é que tu chama?

Mas ela só fazia rolar os grandes olhos. Estava mesmo apavorada, ainda que se encontrasse entre negros.

— Tá bão — disse Vemba —, não percisa falá nada. Dispois tu conta pra nóis.

Erguendo com cuidado o corpo dela, Vemba saiu da mata. Chegando a Palmares, levou a menina para sua própria choupana. Ela foi colocada numa cama feita de palmas e coberta com um manto.

A menina demorou muitos dias para se recuperar. Chegaram até a acreditar que fosse morrer, tamanha sua fraqueza. Teve febre alta, não comia nada. Gemia e dizia coisas incongruentes. De vez em quando chorava.

Vemba encarregou-se ele mesmo de cuidar da menina. Dava-lhe água, punha-lhe panos molhados na testa para baixar a febre. Uma semana depois, ela começou a melhorar. Pela primeira vez, comeu um mingau feito à base de milho.

Vemba ficou contente com sua melhora:

— Antão, tu tá mió, né? Bão te vê ansim.

Ela abriu um sorriso triste.

— Agora, tu pode falá quem que tu é...

— Kê...nia... — ela gaguejou timidamente.

— Ah, Kênia. Nome bonito, nome de princesa.

Kênia tornou a sorrir.

— Conta pra mim dadonde tu é.

— Nossa Siora da Ajuda... Adonde era escrava.

— Cadê teu pai, tua mãe? — disse Vemba.

Ao ouvir a pergunta, Kênia voltou a chorar, o corpo sacudido pelos soluços.

— Tu num tem pai? Num tem mãe?

Kênia sacudiu a cabeça, confirmando. E, numa voz fina, que denotava muito sofrimento, contou toda sua desventura. Como havia sido apresada com a família ainda na África, a horrível viagem num tumbeiro, a doença e a morte do pai. Mas ela se deteve mais contando sobre a mãe, sobre a estupidez do Patrãozinho e sobre a provável morte dela.

— Pode deixá — disse Vemba, tentando consolá-la. — Nunca mais ninguém vai te fazê mal. Vô cuidá de ti.

Com o coração cheio de gratidão, Kênia olhou para aquele gigante que a havia socorrido. E que agora cuidava dela com tanto carinho. Segurava suas mãos calosas com força, como se temesse que ele fosse se afastar dela.

Vemba também se afeiçoou à menina. Sentia-se feliz de tê-la salvado da morte certa. E, agora que tinha ouvido sua triste história, comprometeu-se a se tornar seu benfeitor. E haveria de cumprir isso. Ainda mais porque ela lembrava em tudo a sua Kaila.

Quando Kênia afinal se ergueu do leito, mal se podia ter nas pernas. Como quisesse tomar um pouco de ar fresco, Vemba a carregou em seus ombros. E assim ela pôde conhecer a vila.

E, a partir daí, o gigante não saía de perto da menina e a obedecia cegamente.

— Vemba!

Era ouvir o grito de Kênia, e Vemba largava o que estava fazendo para vir correndo ao encontro de Kênia:

— O que tu qué, minha princesa?

— Quero que tu me leva pra pegá mio verde.

— Vamo lá!

— Tô quereno fazê curau. Dispois, tu vai vê que bão.

E Vemba atravessava vila carregando Kênia nos ombros.

Kênia era excelente cozinheira. Aquilo fez que a adoração que Vemba tinha por ela aumentasse ainda mais. Todo mundo sabia como Vemba era um glutão. Coisa mais comum era as pessoas comentarem que a força bruta dele equivalia a seu apetite.

Pouco a pouco Kênia foi recuperando a alegria. É certo que às vezes chorava de mansinho com saudade da mãe. Mas era só encontrar Vemba que voltava a sorrir.

Curada das feridas e mais bem alimentada, Kênia recuperou as forças. Já não era mais aquela menina frágil, cheia de feridas. Tinha ganhado carnes, e seus traços de beleza eram bem visíveis.

Vemba, quando encontrava Kênia, costumava ficar parado, olhando embevecido para as formas dela. Achava-a mais bonita que qualquer mulher que tivesse conhecido em sua vida. Mais até do que Kaila.

E em sua adoração, Vemba vivia lhe dando presentes: colares, anéis, pulseiras, peças de tecido colorido. Tudo que havia conseguido pilhando a propriedade dos brancos. E Kênia, muito faceira, gostava daquela corte. Mas ela não abusava de seu adorador, pois também gostava dele. A seus olhos, era o homem mais bonito, mais valente de Palmares.

Kênia só tinha olhos para Vemba, e Vemba só tinha olhos para Kênia.

E Kênia, com esse amor por aquele gigante, esquecia-se de sua dor. De vez em quando, ainda pensava no rosto sofrido de Zaila e em seu triste destino. Um secreto desejo de vingança ainda havia em seu coração. Mas o amor por Vemba parecia curar todas as feridas.

18. O acordo

Zumbi estava enganado quanto ao que Ganga-Zumba pensava sobre a situação do quilombo. A exaltação do rei de Palmares com as vitórias sobre os brancos havia diminuído drasticamente nos últimos tempos. Podia ver muito bem que as condições do quilombo estavam piorando. Com seus muitos mocambos e população numerosa, vinha se tornando um alvo muito fácil para os invasores.

Com os frequentes embates contra as forças dos portugueses, os quilombolas não tinham como cuidar mais do gado e das plantações. Gêneros de primeira necessidade, como mandioca, cará, milho e feijão, começavam a escassear. E, como o comércio habitual com os tropeiros tinha diminuído bastante, não se via mais trigo para o pão já há algum tempo.

Ganga-Zumba também percebia que haviam perdido muitos guerreiros nas batalhas. E, ainda por cima, os que tinham sobrevivido não dispunham de armas eficazes e muito menos de munição.

Os portugueses mantinham sob estreita vigilância as rotas de tropeiros. Estava ficando cada vez mais difícil conseguir mantimentos, armas e munição.

Quanto tempo mais podiam resistir? — pensava, acabrunhado. Dentro em breve, os portugueses estariam novamente às portas de Palmares. E dessa vez, como suspeitava, a resistência de seus homens não duraria muito.

Por outro lado, sabia que os portugueses também estavam desesperados com a situação. Os fazendeiros, os donos de engenho, os moradores das pequenas vilas não podiam mais suportar a fuga dos escravos e os saques às propriedades.

A economia da região vinha se deteriorando bastante desde que os negros tinham se rebelado e se estabelecido em Palmares. Como os brancos podiam viver sem os braços escravos? Como podiam continuar com seus negócios, sob ameaça de invasões e saques?

Era uma coisa que vinha atormentando os brancos. Uma solução final exigia a criação de um exército mais bem aparelhado. Mas isso era muito dispendioso, ainda mais num tempo em que a economia estava arruinada.

Ganga-Zumba, depois de muito pensar, decidiu que havia uma possível saída, boa tanto para os negros quanto para os brancos. Desconfiava que eles também não desejavam a guerra. Tanto era assim que, há uns tempos atrás, um emissário do governador de Pernambuco secretamente veio lhe propor um acordo de paz. De fato: era de paz que ambos os lados necessitavam — Ganga-Zumba chegou à conclusão.

Esse acordo constava do seguinte: imediato cessar-fogo, respeito pelas vilas, fazendas e demais propriedades dos brancos, respeito pela liberdade e propriedade dos negros, além de entrega de terras aos habitantes de Palmares.

Mas o que mais falou ao coração do rei de Palmares foi saber que seriam devolvidos os prisioneiros negros em poder dos brancos. Ganga-Zumba não podia se esquecer de Zambi e Acaiene, seus filhos tão queridos, nas mãos dos portugueses há quatro longos anos. Com o acordo — refletia Ganga-Zumba —, acabaria aquela guerra insana e, acima de tudo, teria de volta os que amava.

E foi pensando nisso que resolveu marcar uma assembleia com os homens mais notáveis do quilombo para tratar do acordo.

Ganga-Zumba abriu a reunião, dizendo:

— Vosmiceis sabe que a vida do povo tá muto ruim.

Os homens sentados em círculo assentiram, balançando a cabeça.

— Nóis num tem mais feijão, nem mio, nem mandioca. O povo já tá passano fome.

Ele parou de falar um instante. Seu irmão Ganga-Zona quebrou o silêncio:

— Tá ruim memo. Os branco num tá deixano os tropero trazê mantimento e num ta deixano a gente prantá.

— Guerra num é bom pra ninguém — continuou Ganga-Zumba. — Nóis perdeu muto guerrero nessas luta.

— Mais num é nóis que qué a guerra — tornou a falar Ganga-Zona.

— Quando a gente ataca uma fazenda, é porque está fazendo guerra — disse Zumbi, incomodado com a tolice do pai.

— Antão — disse Ganga-Zumba —, nóis tá percisano acabá com a guerra. Pra pudê vivê em pais. Pra pudê prantá e cuiê. Pra dá comida pro povo.

— Mais os branco só qué guerra — disse Vemba. — O que eles qué é acabá com Palmares.

— Mais tem branco que num qué guerra... — disse Ganga-Zumba de um modo enigmático.

— Que branco que num qué guerra? — perguntou João Matias, fechando a cara. — Branco só pensa em guerra.

— Apois, falo pra vosmiceis que tem branco que num qué guerra — insistiu Ganga-Zumba.

— Que branco? — perguntou Vemba.

Ganga-Zumba resolveu abrir o jogo de vez:

— O governadô mandô um home falá comigo... Eles qué um acordo. Eles qué que a gente não roba mais as fazenda. Em troca, eles vai dá liberdade pra quem nascê em Palmares. Eles tamém vai deixá a gente fazê comércio co povo das vila.

Ganga-Zona perguntou com desconfiança:

— É só isso o acordo?

— Não, tem mais coisa...

— Que coisa?

Ganga-Zumba hesitou um pouco, mas acabou dizendo algo que parecia desagradá-lo:

— Nóis tem que saí de Palmares. Nóis tem que ir pra Cucaú, perto de Serinhaém. E nóis tem que entregá todos os negro que fugi...

Zumbi estremeceu. Sabia o que significavam aquelas duas últimas condições. De um lado, deixando Palmares e mudando para Cucaú, ficariam sujeitos ao controle das autoridades da capitania. Não teriam como se proteger, já que, ao contrário de Palmares, a região ficava num descampado.

Mas o que mais incomodou Zumbi foi o fato de saber que teriam de entregar os escravos fugidos para seus antigos donos. E o mesmo pensavam alguns dos outros membros do conselho, entre eles, Ganga-Zona, Antônio Soares, Vemba, Epalanga e João Matias.

— Mais deixá Palmares... — protestou Vemba. — E, dispois, i pra esse lugá aí, Cucaú... Diz que as terra num presta.

— Tamém a gente num pode entregá os irmão pros branco — foi a vez de João Matias protestar.

— Tamém acho isso — ponderou Ganga-Zumba, em meio aos protestos de parte da assembleia. — Mais sem acordo, nóis vai tê guerra. E nóis num guenta mais guerra. Nóis já perdeu muto guerrero e tá sem pórvora.

As discussões ficaram acaloradas. Uma parte dos negros, mais amigos da paz, achava que o acordo seria melhor que a guerra constante. Eles estavam cansados das frequentes batalhas. Queriam tocar suas plantações, cuidar do gado, sem que fossem incomodados pelas tropas. Também não suportavam a ideia de ter os mocambos queimados. O preço para o acordo era alto, mas não viam outra solução.

Já a outra parte dos negros, tendo à frente Zumbi, achava o acordo iníquo. Teriam que ceder demais. E, em troca, ganhariam apenas terras ruins para o plantio e uma vaga promessa de libertação para os moradores de Palmares.

Tendo vivido entre os brancos, Zumbi desconfiava deles. Não acreditava que algo de positivo pudesse vir daquele acordo. Mudando-se para Cucaú ficariam expostos. Em pouco tempo, seriam dominados e, na sequência, dizimados.

E depois aquela cláusula estipulando que deveriam entregar os negros fugidos era insuportável. Considerava a liberdade um bem muito precioso. Ele a havia conquistado com tanto esforço! Não podia, pois, suportar a ideia de trair seus próprios irmãos e condená-los para sempre à escravidão.

Mas, para seu desgosto e de seu grupo, a maioria aprovou o acordo.

Em junho de 1678, o oficial que tinha se reunido secretamente com o rei de Palmares retornou a Recife. Seguia com ele um grupo de moradores de Palmares. Para garantir o aceite do acordo, Ganga-Zumba enviou ao encontro do governador Pedro de Almeida três filhos.

Em novembro, Ganga-Zumba, à frente de grande séquito, foi para Recife assinar o acordo. Depois disso, mudou-se para Cucaú. Por outro lado, Zumbi e seu grupo, contrários ao acordo, recusaram-se a deixar Palmares.

E não demorou para se saber quem estava com a razão. Ganga-Zumba, depois que se mudou para Cucaú, passou a viver sob forte vigilância das autoridades portuguesas. Por outro lado, as povoações vizinhas não deixavam de hostilizar os negros, dificultando a compra e venda de mercadoria nas vilas.

— Branco num tem palavra — disse Vemba com rancor.

— Ganga-Zumba vai tê que pagá! Adonde se viu traino seu povo? — disse João Matias.

Uns tempos depois, chegou a Palmares a notícia de que Ganga-Zumba havia sido envenenado por Epalanga.

Zumbi, por unanimidade, tornou-se o novo rei do quilombo. Mas ele não estava feliz, pois, além de lamentar a morte do tio a quem amava e respeitava, não via muita saída para o povo de Palmares.

O acordo era uma fachada para enganar os negros — ele pensou com rancor. Sabia que em breve os brancos iam montar um exército mais forte que os anteriores. E aí não teriam como resistir. O que valiam as paliçadas dos negros contra o tiro de canhões? — refletiu com tristeza.

Ganga-Zumba, em desespero, havia tentado evitar a guerra. Tinha aceitado um tratado de paz vergonhoso, cedendo em quase tudo. Mas a guerra não podia mais ser evitada. Tocava então Zumbi liderar os negros, uni-los e se preparar para talvez a batalha final.

19. Um presente especial

Logo após a morte de Ganga-Zumba, o acordo de paz foi de imediato rompido. Os negros, que tinham ido para Cucaú em companhia de seu rei, logo começaram a debandar, retornando para Palmares. Isso porque os brancos se aproveitaram da falta de liderança deles para apresá-los como escravos.

Dia a dia, hordas e hordas de refugiados de Cucaú buscavam comida e abrigo no quilombo. Como alimentar tanta gente? — pensava Zumbi com angústia. As colheitas tinham sido destruídas, e o gado roubado.

Se os negros voltaram a viver um pesadelo, o mesmo aconteceu com os brancos que haviam aprovado o acordo. Com a paz, eles podiam tocar suas lavouras, cuidar do gado e fazer negócios, sem que fossem importunados. Mas agora, entrincheirados em suas vilas e fazendas, temiam as hordas de negros que saqueavam tudo pelo caminho.

E assim a guerra entre brancos e negros voltou a ser declarada.

Um dos guerreiros que mais se empenhava nas lutas era Vemba. Ele havia se tornado o terror da região. Os brancos o temiam mais do que nunca. Vemba invadia e saqueava engenhos, pequenas vilas. E sempre voltava para Palmares com um grande butim.

E, nos últimos tempos, ele vinha tendo uma companhia especial. Aconteceu que Kênia teimou em acompanhá-lo.

— Mais tu num pode! — ele protestou, quando ela veio com aquele estranho pedido.

— Pru que que eu num posso? — insistia ela.

— Pruque tu é muié, minha princesa. É mió tu ficá fazeno doce e deixá...

— Fazeno doce? Tu tá pensano o que de mim? — disse ela, indignada.

Tanto Kênia insistiu que Vemba foi obrigado a aceitá-la em seu bando. Munida de um facão, Kênia passou a sair com os guerreiros de Vemba. E nunca mostrou medo.

Até que um dia Vemba disse que queria lhe dar um presente especial.

— Um presente? — os olhos de Kênia brilharam. — Que presente?

— Tu vai vê — disse o negro, de modo enigmático.

— Ah, vai me conta...

— É surpresa.

Cheia de curiosidade, ela seguia ao lado dele, embrenhando-se na mata. Até que ela começou a reconhecer o caminho, a paisagem.

— Vemba, adonde tu tá me levano? — perguntou, desconfiada.

— Acho que tu já sabe... — disse ele com malícia.

— Tu tá me levano pra fazenda Nossa Siora da Ajuda, num é?

— Num era lá que tu queria i? Tu num tava quereno vingança?

O coração de Kênia bateu alvoroçado. Claro que queria vingança! — ela pensou, cheia de raiva. Quantas e quantas noites não havia sonhado com o dia em que se vingaria daqueles que tanto mal lhe tinham feito!

Naquele momento estavam no topo de uma colina. Lá de cima, podiam ter uma bela vista da propriedade de Diogo Lopes.

Vemba dividiu suas forças em duas. Uma parte dos homens, comandada por Epalanga, foi incumbida de descer a colina, aproximar-se da fazenda e fazer um ataque rápido às forças de segurança. Na sequência, devia fugir, retornando às colinas e oferecendo resistência. Entrincheirados na elevação, os quilombolas teriam que segurar ao máximo a tropa de brancos.

Foi o que fizeram. Desceram a colina e seguiram pela planície, sempre procurando se ocultar entre as moitas e pedras. Quando entraram na propriedade pelo curral, começaram a dar tiros de bacamarte e atirar flechas.

Do alto da elevação, Vemba acompanhou a luta. Sorriu satisfeito quando se deu conta de que os brancos tinham mordido a isca. Lá vinham os negros correndo e seguidos pelos brancos.

Enquanto isso, a outra parte dos homens, comandada por ele, desceu a colina pelo lado contrário e seguiu em marcha acelerada em direção à sede da fazenda. A invasão aconteceu sem baixas entre os negros. Uns cinco soldados apenas haviam sido deixados para trás. Foram dominados com facilidade.

Eles tiveram uma maior dificuldade em dominar o Beato. O negro opôs muita resistência, mas, cercado de tudo quanto é lado, foi derrubado a cacetadas. Depois, o prenderam a um tronco.

Kênia estava ansiosa. Não via a hora de pôr as mãos em Eufêmia e, acima de tudo, no maldito Patrãozinho!

A verdade é que mãe e filho estavam sós, já que Diogo Lopes havia seguido à frente das tropas. Escondida dentro de casa e armada com um bacamarte, Eufêmia berrava contra os negros:

— Vão s'imbora, senão mato todo mundo.

Os negros davam gargalhadas e rebatiam:

— Sai de drento, bruxa veia!

Até que Vemba, irritado com a teimosia da mulher, mandou que derrubassem a machadadas a porta reforçada do casarão. Quando foram invadir a sala de entrada, ouviu-se um tiro do bacamarte, e um dos invasores caiu morto.

Logo depois, os negros saíram arrastando Eufêmia pelos cabelos e o Patrãozinho por uma corda atada ao pescoço. De passagem, os negros davam-lhes pontapés, cuspiam neles. Não podiam se esquecer das antigas ofensas.

— Seu porco! Nóis vai te capá — as negras se dirigiam ao Patrãozinho que gemia, assustado.

Mãe e filho foram presos às argolas de dois troncos em frente à casa-grande. Do mesmo jeito que eles costumavam fazer com os escravos. Vemba ordenou que lhes arrancassem a parte de cima das roupas.

— Vosmiceis vai vê como é bão o chicote.

— Deixa o porco comigo! — disse Kênia, cheia de ódio.

— A veia bruxa é minha — uma escrava se adiantou.

Era Ângela. Kênia mal a reconheceu. Estava acabada, a cara cheia de cicatrizes, os passos trôpegos. Mas parecia determinada, fitando com ódio o corpo semidesnudo de Eufêmia.

E as duas, como se tivessem combinado, ao mesmo tempo começaram a chicotear Eufêmia e o Patrãozinho nas costas. Kênia jamais podia esquecer o que ele havia feito com ela e com Zaila. Bateu tanto que seu braço ficou todo dolorido. Quando ela pôs de lado o chicote, as costas do Patrãozinho eram uma chaga só.

Toda ofegante, Kênia sentou-se num tronco. Ângela sentou-se a seu lado. Não estava menos cansada. Depois de recuperar o fôlego, passou a mão pela cabeça de Kênia e disse:

— Fizero muta mardade cum tua mãe...

— Mataro ela num é?

Ângela apenas balançou a cabeça, confirmando. Tomada de fúria, Kênia levantou-se, pegou o facão e foi até o Patrãozinho. Num golpe certeiro, matou-o.

Eufêmia teve o mesmo destino, nas mãos das escravas raivosas.

Enquanto isso, os negros saqueavam a casa-grande: roupas, joias, panelas, pratos, cumbucas, sacos de feijão, milho e farinha. Vemba acreditou que era melhor se retirarem. Ouvindo o ruído dos tiros, a tropa iria perceber a armadilha e retornar à fazenda.

Um pouco antes de deixarem a sede da fazenda, Vemba chegou no Beato e disse:

— Tu num merece de vivê...

— É mió memo tu me matá — disse o negro capataz com soberba. — Si tu num me matá, vô te pegá.

— Tu? Me pegá? Tu é cachorro dos branco — disse Vemba com raiva.

Abaixou-se e, num gesto rápido, matou o Beato com uma punhalada.

Depois de atear fogo à casa-grande, a horda de negros começou a deixar a fazenda Nossa Senhora da Ajuda. E bem a tempo. Ao longe, se via a tropa de brancos correndo a toda pela planície.

Vemba ordenou que os homens, acompanhados de mulheres e crianças, dessem uma grande volta, cortando um pasto, para depois se internarem na mata. Foram ajudados na fuga porque começava a escurecer. Vemba queria chegar o quanto antes às colinas onde deveria se reunir ao restante de sua tropa.

Quando, afinal, achou que tinham despistado seus perseguidores, pararam para descansar e comer.

Sentado ao lado de Kênia, ele disse:

— Antão, minha princesa, gostô do presente?

Os olhos cheios de luz, ela fitou Vemba. Nunca o tinha amado tanto quanto naquele momento. Ela passou a mão pela face do guerreiro e disse:

— Se gostei? Gostei muto.

Vemba sorriu. Ele se sentia muito feliz ao lado dela. Não bastasse ser bonita, ainda era guerreira como ele!

— Apois tenho tamém um presente pra ti — ela disse.

— Presente pra mim? — Vemba perguntou, curioso. — Que presente?

Kênia sorriu com malícia. Aproximou-se de Vemba, beijou-o e disse:

— Tô esperano um fio teu...

— Um fio meu?! — exclamou Vemba. — Pru que tu num me disse antes?

— Apois tô te contano agora...

— Mais... mais... — gaguejou ele —, mais tu num pudia...

— Num pudia o quê? — ela perguntou, desafiadora.

Vemba balançou a cabeça.

— Adonde se viu? Cum fio na barriga e veio com nóis pra guerra?

— O que que tem? Tô cum fio na barriga, mais num tô duente, home.

Vemba deu uma gargalhada, depois ficou em silêncio. Fitava Kênia com um olhar sonhador. Um filho! Ele ia ser pai! Um filho de Kênia! Não podia imaginar que seria tão feliz assim.

Ficaram em silêncio por mais algum tempo. Até que Vemba perguntou:

— E tu já sabe o nome que vai ponhá no nosso fio?

— Sim, já sei. Se é muié, vai chamá Zaila e se é home, Vemba.

— Vemba... — murmurou o guerreiro, envaidecido.

Sim, seu filho iria se chamar Vemba. Seria um guerreiro como ele! Mas nada de mal se fosse mulher. Chamada Zaila. E havia de ser tão doce e bonita como Kênia. Zaila, nome também de princesa.

20. O governador e o bandeirante

A guerra de guerrilha empreendida por Zumbi mostrou-se eficaz. Os brancos viviam num pânico constante. Não podiam em hipótese alguma deixar suas propriedades sem proteção. Isso implicava despesas extras para manter tropas e comprar munição. Com isso a economia da região entrou em forte declínio.

Essa situação caótica levou o governador da capitania, João da Cunha Souto Maior, a tomar medidas drásticas. Em março de 1687, chamou à sua presença Domingos Jorge Velho. E sem muitos preâmbulos foi logo lhe dizendo:

— Queria que vosmecê assumisse de vez o comando das tropas pra acabar com Palmares.

O capitão do mato sabia que a tarefa não era tão simples assim. Isso porque as tropas tinham desprezado a capacidade de resistência dos negros.

— Bão... — ele ponderou. — Posso aceitá, mais só se Vossa Sioria me dá as forças que...

João da Cunha, impaciente, o interrompeu:

— Vosmecê terá as forças necessárias e armamentos.

— Quantos home?

— Mil homens.

— Hummm — Domingos Jorge Velho tornou a ponderar e perguntou, mostrando insatisfação: — Num acha que é poco?

— Pouco? Contra aqueles negros boçais e mal armados?

O capitão do mato balançou a cabeça, desanimado.

— E vai tê canhão?

— Canhão pra quê? Pra derrubar paliçada? — disse o governador com impaciência.

Mesmo descrente do êxito da missão, Domingos Jorge Velho discutiu seu pagamento. Pediu para ficar com uma porcentagem dos negros apresados, com tudo que fosse encontrado nos mocambos e nas extensões de terra cultivadas pelos quilombolas. O governador assentiu e assinaram um acordo.

À frente de um exército formado de duzentos brancos e oitocentos índios, o capitão do mato atacou Palmares. Como suspeitava, encontrou forte resistência. As táticas de guerrilha criadas por Zumbi causaram muitas baixas entre os invasores.

Derrotado, Domingos Jorge Velho teve que se retirar. Saiu de Palmares mortificado. Jamais havia passado por uma humilhação assim — refletiu. Esse fato o levou a ter um ódio ainda maior dos negros. Como derrotar um inimigo que não tinha medo de nada?

Em 1691, ele foi convocado pelo novo governador da Capitania de Pernambuco, Caetano de Melo e Castro, o Marquês de Montebelo.

Melo e Castro pediu que Domingos Jorge Velho lhe contasse do porquê do fracasso da missão de 1687. O capitão do mato suspirou e disse:

— Os home que o governadô Soto Maió me deu era poco e ruim. Dispois, num tinha tamém canhão.

— Canhão? Para que vosmecê ia precisar de canhão?

— Sem canhão num dá. Os negro tá tudo escondido detrais das paliçada. É os sordado chegá perto e vem frecha e tiro de riba.

— De quantos homens vosmecê vai precisar? — sem mais preâmbulos, o Marquês de Montebelo perguntou:

— Cinco, seis mir... Mais tem que sê home bão. Me mandá com um bando de índio froxo num dianta nada.

— Está certo, arrumo uma tropa de primeira — o governador fez uma pausa e disse: — Também arranjo canhão para vosmecê.

O capitão do mato abriu um largo sorriso.

— Ah! Canhão! Cos canhão, eu ponho tudo aquilo pra baxo!

À frente de um exército formado de seis mil homens bem armados e muitas peças de artilharia, Domingos Jorge Velho seguiu para Palmares. Iam junto com ele o capitão-mor Bernardo Vieira de Melo e o capitão Furtado de Mendonça, oficiais bastante experimentados.

21. A batalha final

Quando soube dos efetivos das forças do governo, Zumbi sentiu um profundo desânimo. Seis mil homens! É bem verdade que as forças de Palmares eram superiores em número, mas os quilombolas estavam mal armados. Sem contar que havia muitos velhos, mulheres e crianças em Palmares. Era esse seu ponto mais fraco.

Mas o pior de tudo mesmo era saber que o novo exército contava com canhões! As paliçadas não resistiriam aos tiros. Imaginou também o estrago que as bombas incendiárias podiam fazer nas palhoças dos mocambos.

Apesar disso tudo, ele não podia mostrar desânimo. Era preciso acreditar que ainda teriam como resistir. Mesmo que a realidade mostrasse o contrário.

Zumbi mandou chamar Vemba, Antônio Soares, Epalanga e João Matias, os homens de sua maior confiança.

— Vosmecês estão sabendo que uma tropa bem maior está vindo aí, não? Uns cinco ou seis mil soldados.

Epalanga inchou o peito e disse com soberba.

— Antão, nóis tem mais guerrero. Nóis...

Vemba fez um gesto, interrompendo a fala de Epalanga e disse:

— Nóis num tem mais guerrero. Nóis tem mais gente. E gente que num pode lutá.

— E depois — disse Zumbi. — Eles estão trazendo canhão.

— Antão, como é que nóis vai fazê? — perguntou Vemba.

Zumbi inclinou-se e desenhou na terra batida da maloca as defesas de Palmares.

— O Antônio Soares e João Matias vão reforçar os pontos mais fracos das paliçadas no Subupira com troncos de árvore e pedra. Usem argamassa pra resistir às balas de canhão — ele começou a explicar.

— E eu? O que que eu faço? — perguntou Vemba.

— Tu vai cuidar de atacar as tropas no caminho, antes que cheguem em Palmares.

— Atacá e fugi, num é? — os olhos de Vemba brilharam. Há muito que ele vinha se afeiçoando àquele tipo de ação de guerrilha.

— Isso mesmo, atacar e fugir. Mas depois vosmecê volta com sua tropa para dentro de Palmares, ajudando na defesa.

Seus comandados saíram, e Zumbi ficou pensativo. Tinha gostado do entusiasmo deles, mas sabia que a causa era perdida. O Capitão das novas forças era Domingos Jorge Velho, um homem duro, determinado, que nada temia. E, ainda por cima, vinha fortemente armado. Não, não tinham como resistir.

Num instante, passou pela cabeça de Zumbi a vaga ideia de rendição. Quem sabe não poderiam poupar muita gente. Mas ele rebateu logo a ideia. Poupar as vidas para quê? Para privar a vida de todos eles da liberdade?

Não, era a única coisa que ainda tinham — refletiu Zumbi. A coisa mais cara e preciosa. Não a trocaria por nada.

***

Quando as tropas avistaram os contrafortes da Serra da Barriga, Domingos Jorge Velho reuniu-se com o Capitão-Mor Bernardo Vieira de Melo e o Capitão Furtado de Mendonça.

— Nossos espião falaro que os negro tá preparano emboscada — ele começou por dizer.

— Então, temos que mandar dois pelotões nos flancos das tropas — aconselhou o Capitão-Mor Bernardo Vieira de Melo.

— Tava pensano nisso — concordou o bandeirante. — Num pode deixá os negro chegá perto dos canhão.

As tropas se puseram em movimento. E bem que Domingos Jorge Velho tinha sido previdente, porque logo começaram as escaramuças. Pequenos grupos de negros atiravam flechas, pedras e, de vez em quando, disparavam com arcabuzes. Mas como haviam providenciado pelotões para seguir ao lado do exército, os ataques causaram pouco dano.

O único problema é que atrasou a ação. As tropas tinham que se locomover num local cheio de rochedos. De vez em quando, acontecia um ataque, causando baixas. E era muito penoso arrastar os canhões montanha acima.

E, em janeiro de 1694, as forças estacionaram diante da entrada principal de Palmares. Preparam-se para atacar. Os canhões estavam dispostos em linha. Quando carregados, Domingos Jorge Velho gritou:

— Fogo!

E o bombardeio começou. As balas, algumas incendiárias, outras não, acertavam as paliçadas, ou passavam por cima delas, indo arrasar as malocas do Macaco.

Como Zumbi havia suspeitado, as paliçadas, mesmo que reforçadas, não eram páreo para as balas de canhão. Pouco a pouco iam-se arrebentando. À frente de um grupo de guerreiros, ele concentrava seus ataques nos artilheiros.

Por vezes, num gesto suicida e desesperado, um negro, armado de machado, investia contra os canhões. Mas era logo abatido a tiros ou a golpes de espada.

Zumbi, porém, não desistia. Procurava estar em todos os lugares, incentivando seus pelotões a resistir, ajudando os homens a recompor as paliçadas. Ao lado dele, o corpo coberto de suor, estava Vemba, berrando como um possesso:

— Taca mais pedra nos branco! Vamo matá esses desgraçado!

Mas agora o exército, como um rolo compressor, seguia sempre em frente. Por trás dos soldados, os canhões continuavam a reboar.

Zumbi dividiu suas forças em dois grupos e pediu que recuassem. Um era chefiado por ele e o outro por Vemba.

Ele já estava muito ferido e extenuado, mas procurava disfarçar, indo adiante de seus homens e gritando:

— Vamos, que a luta ainda não está perdida!

Zumbi seguia na direção de uma caverna no alto da serra da Barriga. Lá, eles podiam contar com um esconderijo camuflado com muito mato e rochas.

Quando chegou à cova, não podendo mais suportar a exaustão, Zumbi desabou no solo. De tão cansado que estava, adormeceu. A seu lado, a língua de fora, ofegando, Ori ficou de guarda. Só aí que seus poucos comandados se deram conta de que Zumbi estava gravemente ferido.

— Nóis tem que precurá remédio pra nosso rei Zumbi.

— E precurá quem? — perguntou João Matias.

— Tem aquele veio, o Mapuka. Ele sabe curá.

— Precurá adonde? Nóis tá tudo cercado — tornou João Matias.

— Acho que tem jeito de passá e pegá o veio. Ele veve por aí no mato.

Antônio Soares deixou a caverna. Ele conhecia com a palma da mão aquelas brenhas. E pensou que assim poderia ludibriar as forças que, logo abaixo, se concentravam em destruir o que restava das paliçadas.

Mas, para sua infelicidade, foi cercado por um bando de soldados chefiados pelo Capitão Furtado de Mendonça. Lutou muito, mas foi, afinal, dominado. E como acontecia com todos os negros fortes que eram aprisionados, levaram-no até Domingos Jorge Velho.

Quando ele chegou ao acampamento dos soldados, um mameluco chamado Alonso disse:

— Hei! Sei quem é esse daí.

— Quem que é ele? — perguntou o capitão do mato.

— É o Tonho Soares...

— Que Tonho Soares?

— Home de confiança de Zumbi — tornou o Alonso.

Domingos Jorge Velho deu um sorriso de satisfação.

— Antão, ele vai contá pra nóis adonde tá Zumbi. Trais o negro aqui perto de mim.

Domingos Jorge Velho contemplou Antônio Soares, que estava muito machucado, com feridas pelo corpo e hematomas na cara.

— Tu é Tonho Soares? — perguntou o capitão do mato.

O negro permaneceu em silêncio. Alonso puxou a corda que o prendia pelo pescoço, sufocando-o:

— Responde, nego safado!

— Não, num sô Tonho Soares. Sô Ndala — respondeu com dificuldade.

— Adonde tá Zumbi? — perguntou Domingos Jorge Velho.

Antônio Soares ficou calado. Alonso tornou a puxar a corda. Mesmo sufocado, o negro nada disse.

— Trais um ferro em brasa. Vamo vê se ele num fala — disse o bandeirante com rancor.

Um ferro de marcar boi foi aquecido no fogo até ficar rubro e entregue ao capitão do mato.

— Adonde tá Zumbi? — tornou a perguntar Domingos Jorge Velho.

Como o Antônio Soares nada respondesse, ele enfiou o ferro no peito do negro. Um cheiro de carne queimada ganhou o ar. O negro deu um grito dilacerante.

— Se tu não contá, vô te assá intero! — disse o bandeirante queimando-o agora na perna. — Agora, se tu contá, te popo a vida.

Mais uma aplicação do ferro, e Antônio Soares afrouxou. O corpo tremendo todo, como se tivesse febres e não suportando mais a dor, ele contou onde se encontrava Zumbi.

— Vamo pegá o nego! — disse Domingos Jorge Velho.

O bandeirante estava eufórico. A batalha estava ganha. E, não demoraria muito, iria pôr as mãos no rei de Palmares.

A essa altura, ele já sonhava com seu butim. Uma fila de negros acocorados e presos por libambos aguardava seu triste destino. Os bens que possuíam — roupas, armas, adereços, produtos agrícolas — eram carregados em várias carroças.

Não bastasse isso tudo, ele ainda teria as terras que lhe haviam sido prometidas pelo governador.

22. O fim de um sonho

Era 20 de novembro de 1695. Do alto da serra da Barriga, via-se a desolação por toda parte. Malocas incendiadas, corpos de negros e brancos mortos. Os urubus faziam a festa pousando sobre os cadáveres. E um cheiro horrível empestava o ar.

Como indiferente àquilo tudo, Domingos Jorge Velho, acompanhado de seus capitães e homens de confiança, descansava sentado sobre uma pedra. De vez em quando, levava uma garrafa de aguardente à boca.

Há pouco, havia afinal apresado Zumbi. Quando o pelotão chegou à caverna onde ele se escondia, aconteceu uma luta muito curta. Zumbi tinha para protegê-lo apenas quatro homens que foram abatidos a tiro. Mas os soldados não contavam com um cão negro que avançou sobre eles. Depois de ferir gravemente um soldado, foi derrubado a porretadas e golpes de facão e acabou morto numa poça de sangue.

Domingos Jorge Velho dirigiu-se ao negro deitado sobre folhas de palmas.

— Tu é Zumbi? — perguntou por perguntar, porque já sabia a resposta.

— Sim, sou Zumbi. Rei de Palmares — respondeu ele com altivez.

— Rei de Palmares, ahn? — disse o bandeirante com escárnio. — Palmares acabô, e tu num é mais rei de nada.

Domingos Jorge Velho ficou algum tempo fitando o negro. Estava mesmo muito ferido. O bandeirante sabia o que tinha que fazer com ele. Seguindo as ordens do governador, devia cortar sua cabeça, que seria enviada para Recife.

Depois do curto interrogatório, o bandeirante deixou a caverna. Tinha ainda muito que fazer antes da execução de Zumbi.

Zumbi estava alquebrado, ferido em muitas partes do corpo. Mas mesmo assim tinha sido preso por correntes. Sabia o que o aguardava. Não o levariam com vida para Porto Calvo. Devia servir de exemplo aos demais escravos. Mas estava resignado com seu destino e, ao mesmo tempo, orgulhoso por tudo o que tinha feito.

A liberdade tinha o seu preço. Muitas vezes, precisava ser paga com sangue.

Antes que Domingos Jorge Velho deliberasse quem deveria matar Zumbi, foi procurado pelo capitão do mato Ferreira.

— Siô Capitão. Queria uma mercê de vosmicê.

— Uma mercê? Que mercê?

— Eu queria cortá a cabeça do nego.

O velho bandeirante fitou Ferreira com um ar zombeteiro e disse:

— Pru quê? Tu tem conta pra ajustá com Zumbi?

— Sim, tenho muta conta pra ajustá com esse demônio — respondeu ele cheio de rancor.

Domingos Jorge Velho fitou o capitão do mato a quem conhecia de outras campanhas. Era um homem mesquinho e rancoroso. Mas não podia negar que era também valente e prestativo. Custava lhe conceder então a mercê?

— Antão, tá bão. O nego é todo teu — disse, fazendo um gesto largo.

Ferreira entrou na caverna. Aproximou-se de Zumbi e, pegando-o pelos cabelos desgrenhados, levantou sua cabeça. Fitando a face do negro, cheia de talhos e feridas, manchada de pólvora e terra, disse:

— Tu num alembra de mim, nego?

Zumbi fitou-o com o olho são, que o outro havia sido furado. Num primeiro momento, viu algo turvo que não conseguiu distinguir. Mas, aos poucos, foi reconhecendo o homem.

— Num disse que era mió tu tê me matado? Que, um dia, nóis ia se encontrá? — tornou a dizer o Ferreira.

Zumbi continuou em silêncio. Foi então que reparou no braço esquerdo do homem, que estava todo deformado. O resultado da mordida de Ori. Começou a rir com a lembrança. Furioso, o Ferreira lhe deu um murro na boca.

— Tu vai ri é no inferno, fio do capeta!

Ele largou dos cabelos de Zumbi, cuja cabeça pendeu, como a de um boneco desengonçado. Ferreira sacou o facão que trazia na cintura. Tornou a levantar a cabeça de Zumbi, puxando-o de novo pelos cabelos com a mão esquerda.

Zumbi fitou seu algoz. Sabia que nem se implorasse pela vida seria poupado. Mas jamais imploraria. Ele era Zumbi, rei de Palmares e soberano de milhares de negros livres. E o que era Ferreira, senão mais um cão dos brancos?

Conformado com seu destino, tornou a sorrir.

O facão desceu sobre seu pescoço. O Ferreira abaixou-se, recolheu a cabeça e a enfiou dentro de um saco cheio de sal grosso.

Das ruínas ainda fumegantes de Palmares, a cabeça cortada foi conduzida para Recife pelo capitão Furtado de Mendonça. Depois, entregue ao governador Melo e Castro, que a mandou expor na ponta de um mastro na Praça do Carmo.

Para que servisse de exemplo aos demais escravos.

23. O grito

    Um pouco antes de apresarem e matarem Zumbi, num outro extremo da Serra da Barriga, Vemba, acompanhado de Kênia e de um reduzido grupo de guerreiros, ainda resistia. Com sua força descomunal, o negro ia derrubando quem tentava se aproximar deles.

    Vemba tinha noção plena de que não havia saída. Mesmo que chegassem com vida ao alto da escarpa, não teriam para onde ir. Não tivesse Kênia ali do seu lado, era bem capaz de se atirar contra as forças que chegavam cada vez mais perto. Quem sabe não levaria consigo uns quatro ou cinco inimigos antes de ser morto.

    Lutando e andando, iam subindo a elevação. Até que chegaram a um ponto em que precisava tomar uma decisão. Ele e mais os guerreiros que ainda restavam podiam ainda resistir, numa insana luta corpo a corpo. E com isso daria para as mulheres e crianças fugirem. Foi o que disse aos que o acompanhavam.

    — Eu num vô! — disse Kênia, abraçando-o. — Num te deixo!

Vemba empurrou-a e disse:

— Tu tem nosso fio aí na barriga. Num quero nosso fio matado ou virado escravo.

— Mais num posso te deixá, meu amô, minha vida!

— Tu tem que me deixá. Vô matá os branco. E, dispois, vô atrais de ti.

Kênia sabia que ele estava mentindo. Por isso mesmo, sempre chorando, ainda tentou insistir:

— Tu num vai atrais de mim, não. Eu sei...

— Apois, eu vô. Mais corre na frente. Os branco tão chegano.

Como ela hesitasse, ele tornou a empurrá-la e disse com uma voz cheia de brandura:

— Vai...

Kênia deu-lhe as costas. E, sem parar de chorar, foi escalando as penhas, acompanhada de um bando de mulheres e crianças. Quando entraram numa pequena mata, ela ouviu muitos tiros e gritos ferozes. Pareceu-lhe que eram de Vemba. E sentiu um aperto no coração.

— Vemba... — murmurou baixinho. — Meu querido Vemba...

Continuaram a se deslocar. Mas não podiam correr muito devido às mulheres de idade e crianças. Saíram então da mata. Kênia olhou para trás e notou que um punhado de soldados se aproximava bem rápido. Vemba então estava mesmo morto — concluiu em desespero.

Os olhos cheios de lágrimas, soluçando, ela prosseguia. Não, eles não iriam ficar com o filho de Vemba! — refletiu com ódio.

Kênia e outras mulheres, entre elas, a Ângela, continuavam sempre para a frente. Até que, para desgraça delas, chegaram diante de um despenhadeiro. Kênia olhou com medo para o abismo. Viu que, no fundo, havia rochas pontiagudas, no meio das quais corria um riacho.

— Eu num vô mais sê escrava! — bradou Ângela.

E se atirou no despenhadeiro. Como um boneco desengonçado, foi se estatelar num dos rochedos que margeavam o riozinho. Mesmo com a contemplação do corpo ensanguentado lá embaixo, duas ou três mulheres acompanharam Ângela, tendo o mesmo destino. Mas outras, resignadas, se ajoelharam, esperando ser apresadas pelos brancos que se aproximavam.

Kênia hesitou um pouco. Se aceitasse ser presa, ela sobreviveria junto com o filho. Mas não era o que Vemba iria querer. Vemba não iria suportar ver a mulher que amava e o filho transformados em escravos. Ele os queria livres.

E sem mais hesitar, fechou os olhos e também se atirou no abismo. Mas, em vez de arrebentar-se nos rochedos, para sua surpresa, mergulhou num remanso, a essa altura com as águas tintas de vermelho.

Segurando a respiração, foi até o fundo. Depois, dando braçadas, subiu bem devagar. Quando chegou à tona, escondeu-se sob um rochedo que estendia uma lasca sobre as águas.

Lá de cima, membros da tropa espreitavam o abismo.

— Acho que num sobrô ninguém — disse um dos soldados, contemplando os corpos despedaçados nos rochedos.

— Esses nego é tudo loco. Viu aquele grandão, atacano a gente com murro e dentada? Percisô de muto tiro e facada pra acabá com ele.

— Antão, vamos s'imbora. Vamo levá os nego que a gente pegô.

— O capitão Domingo já tá lá contano. É tudo recompensa dele.

Os homens deixaram a borda do despenhadeiro. Protegida pela lasca do rochedo, Kênia continuou em seu abrigo por mais algum tempo. Ela então agradeceu a Obá pela graça concedida. Também orou à deusa, encomendando a alma de Vemba.

Quando não ouviu mais as vozes dos homens, saiu das águas. O primeiro cadáver que viu foi o de Ângela, que estava com os olhos bem abertos. Piedosamente os fechou com a mão direita e disse:

— Descansa, amiga... Agora, tu é livre...

Kênia ficou um instante pensativa. Para onde deveria ir? Não sabia. A única coisa que sabia é que estava viva e livre. Ela e o filho que trazia no ventre.

Kênia levantou-se. Erguendo o rosto para cima, retesou os músculos e, instintivamente, soltou um grito prolongado e agudo.

Não tinha noção de por que tinha feito aquilo. Era como se fosse um uivo de uma fera.

Não, não era um grito de uma fera. Era um grito de liberdade!

CRONO-LOGIA

1670
Ganga-Zumba, tio de Zumbi, assume a chefia do quilombo, à época com mais de trinta mil habitantes.

1675
Manuel Lopes faz uma série de ataques, matando um e aprisionando outros dois filhos de Ganga-Zumba, o rei de Palmares.

1670

1655
Nasce Zumbi num dos mocambos de Palmares.

1676
Neste ano, a tropa portuguesa ocupa um mocambo com mais de mil choupanas. Os negros contra-atacam, entre eles Zumbi, com apenas vinte anos de idade. Após um combate feroz, Manuel Lopes é obrigado a se retirar para Recife.

1650

1600
Negros fugidos fundam na serra da Barriga o quilombo dos Palmares.

1678
Ganga-Zumba vai a Recife para firmar um pacto de paz com o governador de Pernambuco.

1600

1690

1691
O novo governador de Pernambuco, o Marquês de Montebelo, contrata Domingos Jorge Velho para a campanha de destruição dos mocambos.

1680

1692
Domingos Velho ataca a aldeia do Macaco e tem suas tropas arrasadas. Pede reforço e recebe ajuda de novos soldados.

1680
Ganga-Zumba é envenenado e Zumbi torna-se o líder de Palmares.

1694
Sob o comando do bandeirante, as tropas fazem um ataque final contra Palmares e onde Zumbi nasceu. Após 94 anos de resistência, Palmares é totalmente destruído.

1695
Antônio Soares, homem de confiança de Zumbi, é capturado. Sob tortura e diante da promessa de sua liberdade, revela o esconderijo do chefe, na Serra Dois Irmãos.

© DIEGO SANCHES

1695
Antônio Soares conduz um grupo de bandeirantes até Zumbi, que é morto. A cabeça de Zumbi é enviada a Recife, onde é exposta em praça pública.

Referências Bibliográficas

CARNEIRO, Edson. *O Quilombo dos Palmares*. 5. ed. São Paulo: Martins Fontes, 2011.

FREITAS, Décio. *Palmares. A guerra dos escravos*. Porto Alegre: Movimento, 1973.

GOMES, Flávio dos Santos. *De olho em Zumbi dos Palmares*. São Paulo: Claro Enigma, 2011.

LOPES, Nei. *Dicionário Escolar Afro-brasileiro*. São Paulo: Selo Negro, 2006.

MATTOSO, Kátia de Queirós. *Ser escravo no Brasil*. São Paulo: Brasiliense, 1982.

MOURA, Clóvis. *Rebeliões da senzala*. s.l.: Zumbi, 1959.

_____. *Os Quilombos e a Rebelião Negra*. São Paulo: Brasiliense, 1981.

PERET, Benjamin. *O Quilombo dos Palmares*. Ensaios e comentários de M. Maestri e R. Ponge (org.). Porto Alegre: UFRGS Editora, 2002.

PRANDI, Reginaldo. *As religiões afro-brasileiras e seus seguidores*. Porto Alegre: Revista Civitas, 2003.

REIS, João José; GOMES, Flávio dos Santos (org.). *Liberdade por um fio*: História dos Quilombos no Brasil. São Paulo: Companhia das Letras, 1996.

SOBRE OS AUTORES

Álvaro Cardoso Gomes

Nasci em 28 de março de 1944, em Batatais, interior do estado de São Paulo. Quando tinha quatro anos, minha família mudou-se para Lucélia e, depois, para Americana. Foi mais ou menos nessa época, aos treze anos, que descobri que queria ser escritor. Lia de tudo que me passava pelas mãos e escrevia pequenas histórias. Aos dezenove anos, vim para São Paulo, onde pretendia estudar. Entrei na Universidade de São Paulo e me formei professor. Lecionei Literatura Portuguesa na USP, Literatura Brasileira em Berkeley, EUA. Atualmente sou Professor Titular da USP, Coordenador do Mestrado Interdisciplinar da Universidade de Santo Amaro, crítico literário e romancista. Em 1978, publiquei meu primeiro livro, *A Teia de Aranha*. Aí não parei mais: seguiram-se *O Sonho da Terra, Os Rios Inumeráveis, Concerto Amazônico*. Mas foi só em 1986 que publiquei meu primeiro livro para jovens, *A Hora do Amor*. Como houve boa recepção por parte dos leitores, escrevi mais livros juvenis: *A Grande Decisão, A Hora da Luta, Amor de Verão, Para Tão Longo Amor, A Nova Terra*. Publiquei também *Memórias quase póstumas de Machado de Assis*, contemplado com o prêmio Jabuti. Além disso, publiquei muitos livros acadêmicos para a Universidade. Como se pode ver, acabei realizando meu sonho de criança de um dia me tornar um escritor. Para mim, nada há de mais fantástico do que inventar mundos e pessoas para encantar os leitores.

Álvaro Cardoso Gomes

Rafael Lopes de Sousa

Nasci em 27 de abril de 1965, em Canoeiros, interior do estado de Minas Gerais. Quando tinha sete anos, minha família migrou para São Paulo. Como todo migrante, enfrentei muitas dificuldades para me ambientar em São Paulo, que se apresentava para o jovem sertanejo como um grande enigma. Os estudos (frise-se aí a importância dos bons professores que tive no final da década de 1970 e início de 1980) ajudaram-me a compreender e a me relacionar melhor com a Pauliceia. Foi, aliás, por influência de um desses professores que decidi ser historiador. Na minha juventude trabalhava de *office boy* num escritório de advocacia e fazia cursinho para prestar vestibular de História. Entrei na Universidade do Estado de São Paulo (Unesp) e me formei professor. Lecionei por mais de dez anos em escolas privadas e da Rede Estadual de São Paulo. Atualmente sou professor permante do Mestrado Interdisciplinar da Universidade de Santo Amaro (Unisa). Em 2002, publiquei meu primeiro livro, *Punk: Cultura e Protesto* (esgotado). Em 2012, publiquei meu segundo livro, *O Movimento Hip Hop: a anticordialidade da república dos manos e a estética da violência*. Tenho também diversos artigos publicados sobre as inquietações que atravessam a vida dos jovens na contemporaneidade. Assim, ao deixar para trás a amplidão misteriosa das veredas e a alegria dos passarinhos que lá habitam, precisava encontrar outra razão para seguir adiante. Essa razão veio com os estudos e a minha aproximação com o universo imprevisível dos jovens, que, assim como os passarinhos das veredas, inventam e desinventam novas e contagiantes formas de existir.

Rafael Lopes de Sousa